D0854111

D.D.I France
86, avenue Lénine
94250 GENTILLY
(1) 49.85.01.91

D.D.I. Montreal
550 SHERBROOKE
Suite 330
Montreal, Quebec H3A 1B9
(514) 843-3803

Zapp !

L'Art de Déléguer le Pouvoir

Comment améliorer la productivité,
la qualité, et la satisfaction du personnel

Par
William C. Byham
et Jeff Cox

LES PRESSES DU MANAGEMENT
85, Cours des Roches
77186 NOISIEL — MARNE LA VALLÉE
France

Tous les personnages, les entreprises et les événements décrits dans ce livre sont œuvre de fiction et toute ressemblance avec des personnes, des entreprises et des événements existants ou ayant existé serait une pure coïncidence.

Titre original : **ZAPP ! The lightning of empowerment (How to improve productivity, quality and employee satisfaction)**
William C. Byham, Ph. D.
With Jeff Cox
© Development Dimensions International 1988
Traduction française : **Les Presses du Management 1990**
Traduit de l'américain par **Max Gorins**
ISBN : 2-87845-016-7
Édition originale
ISBN 0-9623483-0-9   Relié   D.D.I. PRESS, PITTSBURGH
ISBN 0-9623483-1-7   Broché   USA 1989

Preface

ZAPP ! Voilà un terme nouveau dans le management. Le ZAPPING, pour la plupart des gens, c'est passer d'une chaîne TV à une autre.

ZAPP ! le thème du livre que vous allez découvrir, est une initiation qui vous fera passer d'une DIMENSION Normale à une DIMENSION Supérieure du Management.

ZAPP ! c'est déchaîner toutes les chaînes, et surtout celles qui brident l'imagination, l'énergie créatrice, l'investissement, l'implication et la motivation des collaborateurs dans l'entreprise.

ZAPP ! est le reflet fidèle des programmes de Formation développés par DDI et que reconnaîtront tous ceux qui y ont déjà participé.

Abel MIR

Directeur Pédagogique de DDI France

Avant-Propos

Pourquoi lire ce livre ?

Voilà une bonne question. Pourquoi aujourd'hui, un adulte sérieux, raisonnable et qui a une activité professionnelle perdrait-il son temps à lire une fable sur les malheurs et les triomphes des salariés d'un service imaginaire dirigé par un individu appelé Joe Mode ? Très franchement, votre carrière est une première bonne raison de lire *Zapp !* La réussite et la survie de l'organisation qui vous emploie en est une autre.

Pour faire des affaires sur les marchés de cette fin de 20ème siècle, dans une économie mondiale, et souvent face à d'excellents concurrents, il est essentiel de travailler sans relâche à toujours s'améliorer, à ce que les Japonais appellent «Kaizen». Ceci signifie que dans une organisation de niveau mondial, chaque membre de l'entreprise doit réfléchir quotidiennement aux moyens d'améliorer l'affaire en matière de qualité, de production, de coûts, de ventes et de satisfaction du client. Dans la gestion des affaires publiques comme dans le monde des affaires, on exige toujours une meilleure performance.

De plus en plus dans les années à venir, les organisations qui réussiront seront celles qui sauront le mieux se servir de l'énergie créative des individus pour s'améliorer constamment. Cependant, l'amélioration constante est un idéal que l'on ne peut pas imposer aux gens. Il faut que cela vienne de l'individu lui-même. La seule manière d'obtenir des gens qu'ils vivent leur travail quotidien comme la quête de l'amélioration constante consiste à leur *déléguer le pouvoir*.

C'est le sujet-même de *Zapp !* Le livre traite des principes de base qui permettent de déléguer le pouvoir aux gens, il explique comment aider les salariés à prendre la pleine possession de leur emploi afin qu'ils trouvent un intérêt personnel à améliorer la performance de l'organisation. Ce livre peut vous aider à comprendre au niveau pratique et fondamental en quoi «déléguer le pouvoir» consiste réellement, pourquoi c'est important, et comment commencer à utiliser les principes-clés sur le terrain. Pourquoi avons-nous écrit ce livre sous la forme d'une fable ? Parce que même les meilleures idées ont peu de portée sans une bonne communication. *Zapp !* est écrit comme il l'est pour nous permettre de prendre un concept abstrait et de le matérialiser dans la réalité sous les yeux du lecteur, dans des termes vivants mais remplis de sens. Nous avons voulu que le livre soit facile à comprendre, mais qu'il soit un aiguillon pour l'imagination.

Il y a deux manières de lire le livre. La plupart des lecteurs trouveront l'histoire divertissante et finiront sans doute le livre en une ou deux séances. Mais si vous êtes pressé, passez rapidement aux sections intitulées «Bloc-Notes de Joe Mode». Elles résument l'essence du livre et exposent les principes de base sur l'art de déléguer le pouvoir». La meilleure manière consiste cependant à lire l'histoire ce qui vous conduira à la découverte des idées, et à essayer en cours de route d'en tirer les conclusions.

Fable ou pas, c'est un livre réaliste et pratique. Nous sommes persuadés qu'après avoir lu *Zapp !*, vous saurez comment commencer à mettre en pratique les idées sous-jacentes, et que vous aurez une bonne base pour entamer une formation en règle sur l'art de déléguer le pouvoir et les domaines qui s'y rattachent. Nous espérons donc que vous aimerez *Zapp !* et, plus important, que vous apprendrez beaucoup sur ce qui est devenu un concept vital pour la réussite personnelle et celle des organisations.

William C. Byham
Pittsburgh, Pennsylvania

Première Partie

Situation normale

1

Il était une fois, dans un pays magique appelé Amérique, un individu normal appelé Ralph Rosco.

Ralph travaillait au Service N. de la Compagnie Normale à Normalville, USA. Normale était depuis des années l'un des principaux fabricants de normalateurs, ces appareils étonnants qui, comme nous le savons, ont tant d'importance pour la société.

Comme on pouvait s'y attendre, tout était tout à fait normal chez Normale, y compris la bonne intelligence de qui était normalement supposé faire quoi :

Les Managers s'occupaient de penser.

Les Chefs s'occupaient de parler.

et les Employés s'occupaient de faire.

Il en avait toujours été ainsi -- depuis le jour où Norman Normal avait inventé le normalateur et fondé la compagnie -- et donc tout le monde tenait pour établi qu'il devrait toujours en être ainsi.

Ralph était le type-même de l'employé normal. Il venait au travail. Il accomplissait les tâches que son chef lui disait d'accomplir. Et à la fin de la journée il se trainait chez lui pour se préparer à recommencer.

Lorsque des amis ou sa famille lui demandaient s'il aimait son travail, Ralph répondait : "Oh, je suppose que ça peut aller. Pas très passionnant, mais je suppose que c'est normal. En tout cas, c'est un emploi et le salaire est convenable".

En vérité, travailler pour la Compagnie Normale n'était pas vraiment satisfaisant pour Ralph, bien qu'il ne sût pas trop pourquoi. Le salaire était plus que convenable ; il était bon ; les avantages étaient nombreux ; il travaillait dans de bonnes conditions de sécurité. Et pourtant il semblait manquer quelque chose.

Mais Ralph estimait qu'il ne pouvait pas faire grand'chose pour changer la situation chez Normale. Après-tout, se disait-il, qui prendrait même la peine d'écouter ? Au travail, il gardait donc ses pensées pour lui et il faisait exactement ce qu'on lui disait.

Ralph travaillait à un sous-ensemble de ce qu'on appelait en termes techniques "les entrailles" du normalateur de Normale. Un jour, en revenant de déjeuner, Ralph, dont les pensées s'étaient portées sur les entrailles du normalateur se trouva -- eh bien, se trouva tout simplement ZAPPÉ par une idée si originale et si prometteuse que sa tête faillit en exploser d'excitation.

"Youpi ! Youpi !! Ouais !!! s'exclama Ralph -- au grand émoi des employés de Normale qui se trouvaient là.

Tout à son excitation, Ralph oublia complètement que probablement personne ne l'écouterait, et il courut au bout du couloir expliquer son idée à son chef, Joe Mode.

Ralph trouva Joe en train de faire ce qu'il faisait normalement. Il disait ce que chacun devait faire et il se faisait du souci pour chacune des 167 tâches urgentes qui devaient être terminées avant la fin de la journée, ceci alors qu'il additionnait des chiffres tout en griffonnant une note au milieu d'un appel urgent de *son* patron, Marie-Hélène Krabofski.

"Mode, je veux que vous vous mettiez à cravacher vos gens", lui disait Krabofski.

"Mais je les cravache" disait Joe "je ne rate pas une seule occasion".

"Eh bien, quoi que vous fassiez, ça ne va pas. Tous les grands patrons font les cent pas dans leurs bureaux. Ils disent que la concurrence est acharnée et devient de plus en plus acharnée. Les ventes sont basses et baissent toujours. Les bénéfices sont faibles et s'affaiblissent toujours. Alors je vous conseille de faire quelque chose et vite, ou sinon !"

"Mais que puis-je faire ?" demanda Joe désespéré.

"Augmentez la productivité, Mode ! Abaissez les coûts ! Poussez la qualité ! Et par dessus tout que vos rendements ne dégringolent pas !"

"Très bien, j'ai saisi", dit Joe.

"Alors ressaisissez-vous et au travail".

Et tous deux raccrochèrent. C'est alors que Joe vit Ralph debout près de lui, attendant avec impatience de pouvoir parler de son idée.

"Eh bien parlez !" dit Mode.

Ralph expliqua son idée, qui était si originale et prometteuse que Joe continua comme si de rien n'était.

"Mais ce n'est pas ce que je vous ai donné à faire", dit Joe. " Où en êtes-vous de la tâche urgente que vous devez terminer avant la fin de la journée ?"

"Ça va, je la terminerai. Mais que pensez-vous de mon idée ?" demanda Ralph.

"Ça n'a pas l'air de ressembler à la façon Normale de faire les choses", dit Joe. "Et ne pensez-vous pas que si cette idée était bonne, les gens du Service Recherche et Développement de Normal y auraient déjà pensé ?"

"Mais, bon, quand j'aurai le temps je la repasserai à l'étage du dessus et nous verrons bien. Peut-être qu'ils constitueront une équipe spéciale pour l'examiner".

A cet instant, Ralph eut la tentation de dire à Joe qu'il ne voulait pas que son idée soit repassée n'importe où par n'importe qui, et que *de plus*...

Mais comme il était normal, Ralph ne dit rien à Joe. Il se contenta de hocher la tête, et retourna travailler -- et Joe retourna dire à chacun ce qu'il devait faire et il continua à se faire du souci pour les 167 tâches urgentes qu'il fallait mener à bien.

A la fin de la journée, Ralph s'était on ne sait comment arrangé pour ne pas finir le travail dont Joe avait besoin. Il le laissa et s'élança vers le parking avec les autres. Et Joe, abattu, s'assit à son bureau et se fit du souci en pensant à Marie Hélène Krabofski.

2

Il y a une chose qu'il faut reconnaître en faveur de Joe Mode, c'est qu'il était organisé. Au fil des ans, il avait pris l'habitude de noter des choses, et toutes ces notes et ces gribouillages étaient devenus un Bloc-Notes qu'il tenait. Assis là, à son bureau, Joe sortit son bloc-notes et inscrivit le problème comme il le voyait.

Le Bloc-Notes de Joe Mode

Ma façon de voir le problème :

• Mon patron veut plus...

• Parce que le Management a besoin de plus...

• Parce que le client exige plus...

• Parce que les concurrents en font plus...

Mais je n'arrive pas à *tirer* de mon personnel
plus que le strict minimum

Il inscrivit ensuite tous les symptômes de ce qui selon lui, n'allait peut-être pas.

Le Bloc-Notes de Joe Mode

Ce qui ne vas pas :

- Pratiquement personne n'est passionné par tout ce qui touche au travail

- Ce qui les passionne se situe en dehors du travail

- Mon personnel s'intéresse aux chèques de salaire, aux congés et à la retraite. A part cela, néant.

- L'attitude générale est : Ne fais rien que tu ne sois obligé de faire ; et alors, fais-en aussi peu que possible

- C'est comme si tout le monde marchait au ralenti toute la journée.. jusqu'à ce que ce soit l'heure de rentrer chez soi. Alors on a l'impression de voir une bande vidéo défiler en accéléré.

Bloc-Notes (suite)

• Je leur parle de mieux travailler et que se passe-t-il ? On me regarde avec des yeux vides.

• Personne ne prend plus de responsabilité que ce qu'il est obligé de prendre.
Si le travail n'est pas fait, c'est mon problème, pas le leur.

• Chacun fait juste ce qu'il faut pour s'en tirer, qu'on ne lui crie pas dessus ou qu'on ne le mette pas dehors.

• Personne ne se soucie des améliorations ; ils ont tous peur du changement (moi aussi, pour être franc).

• A chaque fois que j'essaye de motiver les gens, les résultats (quand il y en a) sont de courte durée.

Bien sur, tout cela n'était pas absolument vrai, et Joe Mode savait bien qu'il existait des différences individuelles entre les gens, mais dans l'ensemble, il avait cette impression-là.

Il entama ensuite une nouvelle page, celle où il trouverait la solution brillante qui résoudrait tout le problème, rapidement et facilement.

Il resta assis là.

Et resta assis là.

Et resta encore assis là.

Mais aucune solution brillante ne venait. Finalement, il écrivit...

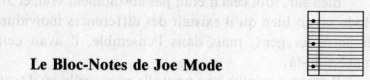

Le Bloc-Notes de Joe Mode

La solution :

Comment saurais-je ? Je ne suis qu'un agent de maîtrise.

Que vais-je faire maintenant ?

- Attendre que les dirigeants trouvent une solution brillante.

- Commencer à rechercher un nouvel emploi au cas où ils ne la trouveraient pas.

Pourquoi ?

Parce qu'au train où vont les choses, la Compagnie Normale est sur la pente savonneuse... et l'industrie américaine de normalateur va la suivre de près !

Il referma alors son bloc-notes, l'enferma à clé dans son bureau, et partit chez lui. Ce n'avait pas été une bonne journée.

3

Bien entendu, Joe Mode oublia vite l'idée de Ralph. Mais pas Ralph. Et à cause de celà, il commença à se produire quelque chose de très *a*normal.

Par le plus grand des hasards Ralph travaillait seul dans un endroit reculé du Service N, un endroit où Mode ne s'aventurait normalement pas très souvent parce qu'il n'était pas sur son chemin.

Ceci permettait fréquemment à Ralph, au cours des mornes après-midi, de somnoler les yeux ouverts, fixant d'un regard myope "les entrailles" du normalateur, jusqu'à ce qu'il entende des pas s'approcher, et alors il reprenait brusquement son rythme de travail *normal*.

Mais après avoir eu son idée, Ralph découvrit qu'il réfléchissait réellement trop pour faire des petits sommes. Il se mit à esquisser de petits dessins. Puis il commença même à mettre son idée en œuvre en utilisant un normalateur cassé qu'on avait jeté dans un coin.

Comme nul n'aurait pu comprendre, il ne dit rien à personne de ce qu'il était en train de faire. Il dérobait les fournitures dont il avait besoin, fouillait les poubelles à la recherche des pièces hors d'usage qu'il pourrait utiliser et s'écartait tous azimuts des procédures habituelles.

Les semaines passèrent. Mais petit à petit, il émergea du vieux normalateur un nouvel engin que Ralph baptisa avec fierté :

Le Ralpholateur

Il saisissait toutes les occasions d'y travailler... moments perdus, pauses-café, pendant les repas. Il se mit à arriver de plus en plus tôt chaque jour pour avoir le temps d'y travailler le matin. Il accomplissait même plus vite les travaux que Joe Mode lui donnait, les terminant pour la plupart en avance afin d'avoir plus de temps pour le Ralpholateur.

Les gens remarquèrent que Ralph avait changé. Il paraissait avoir plus d'énergie. Il paraissait d'une certaine façon avoir rajeuni. Il paraissait *dans le coup*. Il paraissait même *heureux*.

Bien sûr, Ralph essuya bien des échecs et il fit une foule d'erreurs. Mais il tint bon. Finalement, un beau matin que Ralph était venu travailler en avance, il put souder les derniers fils du tableau de commandes : le Ralpholateur était terminé.

Naturellement, Ralph ne put s'empêcher de l'essayer. Il connecta les prises à son fauteuil, s'assit, bascula quelques commutateurs et tapa un ordre sur le clavier de son terminal d'ordinateur.

Un gémissement aigu se mit à sortir des profondeurs de l'étrange engin. Son espace de travail se mit à palpiter d'une lueur venue d'un autre monde. Ralph s'agrippa au bras de son fauteuil, souriant de toutes ses dents à l'idée de ce qui allait arriver, et il disparut dans un éclair puissant.

Quelques heures plus tard, Joe Mode eut besoin d'un renseignement sur un travail que Ralph faisait et il demanda à Phyllis, son assistante, de lui ramener Ralph. Mais Ralph n'était pas dans les parages.

Tout en maugréant que les entreprises n'étaient pas capables de nos jours de s'assurer les services de bons employés, Joe parcourut le couloir d'un pas lourd, entra dans l'espace de travail de Ralph, et fut sidéré en voyant l'enchevêtrement de fils qui couraient dans tous les sens.

"Qu'est-ce que c'est que tout ça ?" grommela-t-il.

Il s'assit dans le fauteuil de Ralph et, ce faisant, son coude heurta la touche envoi du clavier de l'ordinateur. Il y eu un gémissement aigu, un éclair de lumière aveuglant, et Joe Mode fut zappé dans la 12ème Dimension.

Bien entendu, Joe ne savait pas qu'il se trouvait dans la 12ème Dimension. Mais il sut qu'il s'était produit quelque chose, parce qu'en regardant autour de lui, il vit que les choses étaient différentes.

Par exemple, un brouillard violet flottait par terre.

"Ce n'est pas normal", pensa Joe.

Et de petits éclairs tout ondulés voletaient ici et là dans tout l'espace de travail de Ralph.

"Non, à coup sûr, ce n'est pas normal", pensa Joe.

Et de l'appareil vers lequel allaient tous les fils sortit une étrange lueur rosâtre.

"Ceci est tellement non-normal que je m'en vais !" pensa Joe.

Joe donc se retira. Il marcha sur la pointe des pieds à travers le brouillard violet, trouva la sortie, et s'en alla par le couloir, en espérant que tout redeviendrait normal à nouveau. Mais il n'en fut rien. En vérité, tout était encore plus étrange.

Le brouillard était plus épais et coloré d'implacables nuances de gris. Les plafonds et les coins étaient pleins d'ombres et sombres. Alors que Joe s'interrogeait avec perplexité sur tout cela, le couloir s'emplit d'une horrible lumière verte et il vit arriver un gros lutin squameux. Comme le lutin marchait vers lui d'un pas lourd, Joe se mit à reculer. C'est alors qu'il remarqua quelque chose de frappant. Ses griffes avaient du vernis à ongles.

Du vernis à ongles couleur rouge pompier. Mais oui, c'était exactement le coloris que mettait toujours...

Joe leva les yeux vers le visage du lutin et il vit que c'était le visage de son propre patron -- Marie-Hélène Krabofski ! Elle portait les listings des rapports mensuels sous son bras verdâtre, et elle passa droit devant Joe sans même le voir.

Tout en gardant ses distances, il la suivit à travers le brouillard alors qu'elle filait droit sur le bureau de Joe, et droit sur une faible tache bleu-glacier, qui se révéla être Phyllis.

"Où est Joe Mode ?" demanda Marie-Hélène en se tortillant de la queue.

Phyllis, dont le bureau était entouré de sacs de sable, plongea pour se protéger contre le tir de barrage auquel elle s'attendait.

"Monsieur Mode est sorti", marmonna Phyllis.

"Bon, lorsqu'il sera de retour", dit Marie-Hélène, alors qu'un des listings informatiques qu'elle tenait se roulait en forme de grande boule noire dont sortait une mèche qui se consumait lentement, "donnez-lui ceci".

Et elle lança la boule noire à Phyllis par-dessus les sacs de sable et s'en alla, accompagnée d'une flaque d'un vert horrible.

Phyllis se dépêcha d'emporter la boule noire avec la mèche allumée dans le bureau de Joe et la laissa sur sa table de travail.

Joe regarda autour de lui — que c'était triste et gris ici. "Où sont passés les néons ?" se demanda-t-il.

Mais tous les gens normaux étaient là. Il les voyait s'activer dans le brouillard, bien qu'il eût quelques difficultés à savoir qui étaient certains d'entre eux.

Une pâle braise dans l'ombre se révéla être cette bonne vieille Madame Estello, assise là dans son fauteuil normal et pianotant à toute allure sur le clavier de l'ordinateur -- sans se soucier le moins du monde des erreurs qu'elle faisait les unes après les autres sans s'arrêter.

"Excusez-moi", dit Joe. "Vous n'allez pas corriger ces fautes ?".

Mais les doigts de Mme Estello ne ralentirent même pas. Près d'elle Joe vit un autre de ses ouvriers, Dan, assis dans le noir les deux mains attachées aux bras de son fauteuil.

Une forme blanchâtre sortit du brouillard en traînant les pieds et se révéla être un homme enveloppé de bandelettes comme une momie, qui a son tour se révéla être Marty, un autre ouvrier de Joe.

"Hé, Marty" dit Joe, "Qu'est-il arrivé ici ?". Mais Marty continua à traîner les pieds, et croisa Becky qui travaillait deci-delà, les yeux ressemblant à des bougies allumées et se déplaçant à la manière des morts-vivants.

Qu'avaient-ils tous ? Ils semblaient emprisonnés dans l'ennui, couverts d'un voile et éteints. Joe devait s'approcher d'eux jusqu'à les toucher pour seulement voir qui ils étaient.

Et il y avait les murs partout. Des murs de pierre, des murs de verre, des murs d'acier. Chacun avait un mur autour de lui. C'était comme déambuler dans un labyrinthe.

"Que leur est-il arrivé à tous ? Pourquoi est-ce que personne ne me parle ?" s'écria Joe tout frustré.

"Parce qu'ils ne peuvent ni vous voir, ni vous entendre", fit une voix derrière lui.

Joe se retourna et vit Ralph.

"Ralph ! Pour l'amour du ciel, que se passe-t-il ?" demanda Joe. "Est-ce une sorte de rêve, de cauchemar, ou quoi ?".

"Rien de tout cela", dit Ralph. "Nous sommes tous les deux dans la 12ème Dimension".

Et ils s'assirent, lui et Joe, pendant que Ralph lui expliquait tout sur le Ralpholateur.

"Mais pourquoi est-ce que tout ici est si différent ?" demanda Joe.

"Ce n'est pas différent", dit Ralph. "Nous voyons seulément des choses que nous ne pouvons pas voir dans le monde normal".

"Vraiment ? Quoi par exemple ?"

"Par exemple ce que les gens ressentent, ce qui se passe dans leur tête, comment c'est à l'intérieur d'eux-mêmes", dit Ralph.

"Allez, allez ! Ça ne peut pas être les membres de *mon* service", dit Joe. "Nous n'avons que des employés heureux et satisfaits à la Compagnie Normale -- surtout au Service N ! Ramenez-moi dans le monde réel".

En temps normal, Ralph aurait été intimidé par Joe Mode et se serait tu. Mais ici, dans la 12ème Dimension, où il en avait découvert bien plus que son chef, il s'enhardit à regarder Joe droit dans les yeux, à secouer la tête, et à dire, "Vous n'avez rien pigé, n'est-ce pas ?".

"Pigé quoi ?"

"Regardez autour de vous, Joe, c'est *ça* le monde réel", dit Ralph. "C'est le même endroit, mais nous le voyons d'une manière différente. Avez-vous remarqué que presque toute la lumière ici vient des gens ?".

"Maintenant que vous le dites..."

"Prenez Mme Estello. Sa lumière est si pâle qu'elle n'arrive même pas au bout de ses doigts", dit Ralph.

"Par contre, Marie-Hélène Krabofski en a beaucoup plus, mais sa lumière ne brille pas beaucoup plus loin qu'elle-même, n'est-ce pas ?".

"Et alors ?" demanda Joe.

"Je pense que nous voyons un pouvoir invisible que les gens possèdent -- invisible dans le monde normal, mais visible dans la 12ème Dimension", dit Ralph.

"Bon, c'est très intéressant", dit Joe. "Mais partons d'ici et retournons travailler. Si le reste de la 12ème Dimension est aussi lugubre, ce dont vous parlez ne vaut pas la peine qu'on s'en préoccupe".

"Mais ce n'est pas partout comme ici !" dit Ralph. "Il y a des endroits où c'est encore plus sombre et plus lugubre ?"

"Oh, fantastique !"

"Mais attendez -- il y a des endroits qui sonts plus clairs, brillants même. Et il y a un endroit que vous devez absolument voir avant que nous repartions".

"C'est-à-dire que j'aimerais bien, mais..."

"Permettez-moi d'insister", dit Ralph.

Et Joe, se rendant compte que c'était Ralph qui était le maître de la manœuvre, dit : "Oh, bon, d'accord, montrez-moi".

Et ils sortirent ensemble à travers le brouillard.

Il sembla à Joe qu'ils parcoururent une grande distance, alors qu'en réalité ils n'allèrent pas loin du tout. Peu à peu, le brouillard se fit plus mince et ils passèrent des ténèbres à la clarté.

En regardant autour de lui, Joe découvrit qu'ils se trouvaient dans un lieu fascinant.

Ici, les murs structuraient mais n'enfermaient pas. Et cet endroit ne semblait pas statique ; on avait la sensation qu'il était en mouvement.

Ce qu'il y avait de plus étonnant ici c'était les gens. Il irradiait d'eux une énergie mystérieuse qui éclairait l'endroit. Certains étaient plus brillants que d'autres, mais la luminosité collective de leur ensemble était comme celle d'un petit soleil chaud.

Ils faisaient beaucoup de choses. Certains travaillaient seuls. Certains travaillaient ensemble dans des groupes. La lumière cependant semblait les unir tous, jaillissant de l'un à l'autre, les reliant dans un dessein commun.

"La voilà !" dit Ralph. "Regardez cette femme là-bas !".

Il lui indiqua une petite femme robuste qui portait un chapeau pointu de magicien et qui allait et venait.

"Qu'a-t-elle de si spécial ?" demanda Joe.

"Vous allez voir", dit Ralph.

Juste à cet instant, une porte s'ouvrit d'un coup. Un jeune homme la passa en titubant. L'armure qu'il portait était cabossée et roussie. Les plumes de son casque étaient réduites en cendres. Son épée était ébréchée et cassée. Derrière lui, par la porte ouverte, Joe et Ralph pouvait voir un dragon qui soufflait le feu.

La femme au chapeau de magicien vint aux côtés de l'homme. Elle était en train de lui parler lorsque soudain un éclair apparut dans sa main.

Elle le tenait et il zigzaguait, scintillait et étincelait.

Alors, dans un geste gracieux, elle dirigea l'éclair droit sur le jeune homme.

"ZAPP !" fit l'éclair en traversant l'air. Et il alla frapper l'homme.

Joe tressaillit, craignant trouver le jeune homme mort à terre. Mais, au contraire, il devint instantanément plus animé et rayonna de clarté.

Une à une, les bosses de son armure disparurent. Les marques de roussi s'évanouirent. De nouvelles plumes sortirent de son casque et les cendres brûlées des anciennes tombèrent par terre. Son épée redevint entière. Et il repassa la porte pour affronter à nouveau le dragon.

La porte se referma derrière lui. Et, il y eut des cris et des hurlements, des bruits de métal entrechoqué, des souffles de feu, et toutes sortes d'autres bruits.

6

Joe Mode et Ralph Rosco étaient tous deux fascinés par cet incroyable spectacle d'éclairs humains claquant entre les gens et de voir tout le monde s'activer à ces tâches étonnantes dans ce -- euh, où que ce soit.

Pendant ce temps, Marie-Hélène Krabofski, rageant de l'incapacité des entreprises à s'assurer de nos jours les services de bons contremaîtres, fouillait avec fureur le Service N à la recherche de Joe Mode afin de pouvoir l'enguirlander au sujet du rapport mensuel.

Elle pénétra en trépignant dans l'espace de travail de Ralph et trébucha sur une rallonge, ce qui débrancha la prise du mur et l'envoya bouler la tête la première dans le Ralpholateur.

La pièce devint obscure, le Ralpholateur s'éteignit, et Marie-Hélène Krabofski tomba par terre, inerte.

Joe et Ralph se mirent soudain à se sentir tout drôles. Pendant quelques secondes ils ne furent plus des corps solides. Et devant leurs yeux, l'éclair qui zappait d'une personne à l'autre se dissolva et devint invisible.

L'armure du jeune homme devint une chemise et un pantalon normaux.

Le dragon devint une disquette d'ordinateur.

La magicienne devint une femme tout à fait ordinaire.

L'abîme sans fond devint une simple table autour de laquelle était assis un groupe de personnes.

Et on ne voyait nulle part la montagne de diamants.

Joe et Ralph s'étaient matérialisés au milieu d'un bureau normal avec des cloisons, des bureaux, et des fauteuils. Pris de panique, ils cherchaient un endroit où se cacher, lorsque la femme plutôt ordinaire se retourna et les vit.

Elle portait un badge où était marqué :

COMPAGNIE NORMALE

Lucy Storm
Agent de Maîtrise - Serv. Z

Surprise de voir ces deux hommes inconnus qui se cognaient l'un à l'autre en essayant de s'en aller sans qu'on les remarque, elle leur demanda : "Puis-je faire quelque chose pour vous deux ?"

"Non, merci'', dit Joe tout penaud.

"On ne faisait que passer'', dit Ralph.

"Etes-vous perdus ?'' demanda-t-elle.

Joe et Ralph ne savaient pas quoi dire.

"Ici c'est le Service Z, expliqua Lucie. "Il n'y a pas beaucoup de monde qui passe chez nous par hasard''.

"Euh, bon en fait, Ralph que voici est nouveau chez Normale et je lui faisais juste faire le tour'', mentit Joe Mode.

"Il fallait le dire'', dit Lucy Storm en souriant. "Venez, suivez le guide pour la visite organisée''.

Elle les emmena dans l'allée centrale et chaque personne qu'ils rencontrèrent leur expliqua avec fierté une partie de ce que faisait le Service Z, et cela leur parut si ennuyeux et si fastidieux que Joe et Ralph sentirent tous deux leurs yeux devenir vitreux.

Et pourtant, personne ici ne semblait s'ennuyer. Tout était pareil à n'importe quel autre bureau, et cependant il y avait quelque chose de différent dans l'air. Les gens ici étaient tellement *impliqués* dans ce qu'ils faisaient -- quoi que ce pût être.

En marchant, comme ça, Joe et Ralph ne pouvaient pas voir l'éclair, mais ils pouvaient sentir qu'il était là. Les gens savaient pourquoi ils se déplaçaient, ils savaient pourquoi ils travaillaient, ils savaient de quoi ils parlaient. Tout l'endroit bruissait d'une activité paisible.

"Voici Frank'', dit Lucy, en désignant un jeune homme qui tenait une disquette d'ordinateur, celui qui dans la 12ème Dimension portait l'armure. Frank leur dit quelques mots de ce qu'il faisait (ce qui une fois de plus parut très ennuyeux à Joe et à Ralph) puis Lucy leur dit :

"Frank a découvert un diable de problème, comme si un dragon s'était glissé dans notre système informatique. Il ne s'est pas contenté de découvrir le problème, il a tout essayé pour le résoudre. Il pensait avoir échoué ce matin, mais nous en avons parlé un moment et il s'y est remis ; et il n'a eu de cesse qu'il ait trouvé la solution. Nous sommes tous très fiers de lui".

Et au même moment, la femme qui était partie sur le cheval d'argent passa la porte.

"Voici Emily", dit Lucy Storm. "Un client nous a appelés parce qu'il avait besoin en catastrophe d'une pièce détachée, et bien que ce ne soit pas vraiment son travail, Emily s'est chargée toute seule de trouver la pièce, l'a portée à l'aéroport, l'a mise dans un avion pour que le client puisse l'avoir cet après-midi".

Ils pouvaient presqu'entendre le thème de Guillaume Tell résonner à nouveau.

Puis ils arrivèrent à la table où les gens travaillaient ensemble.

Ne voulant pas les interrompre, Lucy dit "Et voici une équipe que nous avons constituée pour instituer un service nouveau. Si nous arrivions à pénétrer sur le marché, nous pensons que cela sera pour nous une véritable mine de diamants".

"Aha !" pensa Joe. "Ils traitent des problèmes quotidiens. Mais c'est plus que de la simple routine ; cela signifie plus pour eux. Cela a une telle importance *personnelle* pour eux".

"Ce qui se passe dans votre service a quelque chose de spécial", dit Ralph à Lucy.

"C'est-à-dire que nous n'avons pas beaucoup de personnel, mais nous répondons bien à la demande, nous sommes très bien vus des clients, notre qualité est excellente et ne cesse de s'améliorer", dit Lucy Storm. "Je dirais que nous ne nous débrouillons pas mal".

Joe Mode ressentait maintenant plus qu'une petite pointe de jalousie. Qu'est-ce qui pouvait bien rendre *son* service à elle aussi bon ? Bénéficiait-elle d'un avantage que personne d'autre n'avait ?

"Vous avez dû vous choisir d'excellentes recrues pour réussir aussi bien", dit Joe.

"Oh non, j'ai fait avec ce que le Service du Personnel m'a envoyé", dit Lucy.

"Alors vous devez avoir un meilleur équipement que tout le monde", dit Joe.

"Regardez vous-même", dit Lucy. "Ce sont les mêmes ordinateurs et les mêmes téléphones que dans les autres services".

"De meileurs systèmes alors" dit Joe.

"J'aimerais bien", dit Lucy. "Mais nous devons faire avec les mêmes systèmes et les mêmes lignes de conduite que tout le reste de la compagnie".

"Alors que faites-*vous* qui rende ce service aussi bon ?" dit Joe.

"Eh bien, cela ne tient qu'en partie à ce que je fais moi. Cela tient à ce que nous faisons *tous*", dit-elle.

"Je sais ce que c'est !" s'exclama Ralph. "C'est l'éclair -- !".

Ralph reçut un coup de coude de Joe pour avoir dit cela.

"Le *quoi* ?" demanda Lucy.

"Rien", dit Joe. "Il veut simplement dire que tout le monde ici paraît si *plein d'énergie*".

"Oh", dit Lucy. "Eh bien, je pense vraiment que chacun aime bien travailler ici. Et je fais de mon mieux pour qu'ils restent chargés à bloc".

"Et pour cela, comment faites-vous donc ?", demanda Joe en se penchant en avant.

"Je me plais à penser qu'il suffit d'être un bon agent de maîtrise", dit-elle.

Cette réponse ne satisfit pas Joe Mode, mais ils étaient rendus devant la porte. La visite de courtoisie était terminée. Ils remercièrent Lucy Storm et se dirigèrent chez eux, au Service N.

Lorsque Joe et Ralph revinrent, le Service N fonctionnait normalement.

"Est-ce que c'est l'heure de partir ?" demandait quelqu'un. "Encore deux heures ! ? Je ne tiendrais jamais !".

Quelqu'un d'autre disait : "Qu'est-ce que ça peut faire. Expédie-le. Les secousses mettront tout ça en place".

Et dans l'allée centrale une troisième disait : "Hola, allez-y plus doucement ! De quoi avons-nous l'air nous autres !".

Et dans un coin : "On ne nous paye pas pour effectuer les réparations. Appelle le service de l'entretien et faisons une pause".

"Mais l'entretien ne viendra pas avant demain".

"Et alors ? Ce n'est pas notre problème".

Tout le monde vit alors que le patron était de retour et tout l'endroit redevint silencieux.

Arrivé là, Ralph malgré tout, se sentait en forme. Son invention était terminée et elle avait marché. Il savait qu'il avait découvert quelque chose d'important -- une manière entièrerement nouvelle de voir le monde. Et il l'avait montrée à son chef, et son chef avait paru impressionné. "Tout va aller pour le mieux", pensa Ralph en lui-même.

Mais il n'allait pas en être ainsi.

Là-bas, dans l'espace de travail de Ralph, Marie-Hélène Krabofski se relevait à peine. Ses hurlements commencèrent à l'instant où elle posa les yeux sur eux.

Qu'est-ce que c'était que cet appareil stupide sur lequel elle s'était cassée la figure ? Est-ce que le comité de direction avait donné son accord ? Quelle sorte de contremaître était Joe Mode pour avoir permis des projets non autorisés dans son service ? Ralph savait-il que la rallonge sur laquelle elle avait trébuché était une violation des règles de sécurité ? Et ainsi de suite.

A la fin, ce fut Ralph qui prit tout. Il lui fut interdit à jamais de retravailler sur son appareil de fou. En fait, il reçut l'ordre de le démonter avant la fin de la journée. En plus, il écopa d'une mise à pied de trois jours.

Ralph, l'air sinistre, fit ce qu'on lui avait dit.

Et Joe se dirigea vers son bureau, en passant devant Phyllis qui était au téléphone et qui disait : "Une pièce de rechange ? Qu'est-ce que j'en sais ? Oh, bon, bon. Je vous passe quelqu'un d'autre -- holà".

Joe regarda Phyllis et Phyllis regarda Joe.

"Je suppose qu'on nous a coupés", dit Phyllis.

"Bah, tant pis".

"*Non, vraiment non, il n'y a pas d'éclair ici*", pensa Joe Mode.

Il alla à son bureau et s'assit à sa table de travail. Dès qu'il posa les yeux dessus, Joe eut l'impression que le listing mensuel de Marie-Hélène lui explosait au visage.

Mais il n'avait pas perdu sa journée. Parce que Joe Mode avait vu l'éclair. L'éclair humain. Il avait vu le Zapp !

8

$\bf J$oe Mode commença à s'interroger.

Comment se faisait-il qu'il dirigeait un service où tout ce qui intéressait les gens était l'heure de la sortie alors que Lucy Storm dirigeait un service où les gens faisaient vraiment tout pour que les choses soient de mieux en mieux faites ?

Comment se faisait-il qu'il n'arrêtait pas de se faire enguirlander par sa patronne sous prétexte qu'il n'était pas à la hauteur alors qu'elle, Lucy, même avec un personnel réduit, remplissait admirablement sa tâche ?

Comment cela se faisait-il ?

Qu'est-ce qui avait rendu là-bas les gens du Service Z si *branchés* par leur travail ?

Que faisait Lucy Storm que lui ne faisait pas ?

Et bien, quoique ce fut, elle avait le genre de service que Joe voulait diriger.

Cela avait sûrement quelque chose à voir avec l'éclair qui Zappait entre les gens. Qu'était-ce que cet éclair ?

Qu'est-ce qui le faisait marcher ?

Alors Joe se rendit compte. ''Hum, ça pourrait bien être ça, la réponse à mes problèmes''.

Joe sortit son bloc-notes.

Le Bloc-Notes de Joe Mode

Si je découvre ce qu'est le Zapp, alors...

- Je pourrai l'utiliser dans mon service
- Notre performance sera améliorée
- Peut-être que Marie-Hélène s'éclairera
- Le travail sera plus plaisant
- La vie sera plus simple
- Et je serai peut-être un héros
- J'aurai peut-être même une augmentation

"Et si *elle* peut le faire, *je* peux aussi !" dit Joe.
Mais comment ?

Bien sûr, le plus facile eut été d'aller voir Lucy Storm, de lui parler franchement et à cœur ouvert, et d'essayer d'apprendre par elle.

Mais non ! Joe Mode ne caressa cette éventualité qu'une infime fraction de seconde. Cela aurait transgressé les Trois Règles d'Or de Joe Mode :

1. Ne jamais demander d'aide.
2. Ne jamais laisser paraître que vous ne pouvez pas tout régler tout seul.
3. Et ne jamais parler à quelqu'un de quoi que ce soit d'important à moins de ne pas pouvoir faire autrement.

Par ailleurs, s'il pouvait faire cela tout seul, il pourrait peut-être en retirer tout le mérite. Joe Mode décida donc qu'il découvrirait tout ça tout seul. La première chose qu'il fit ce fut de donner un nom à l'éclair.

Il l'appela Zapp.

Le Bloc-Notes de Joe Mode

Zapp...

Une force qui donne de l'énergie aux gens

Et maintenant, comment pouvait-il créer Zapp au Service N ? Le problème était qu'on ne pouvait pas voir Zapp, mais il était là. Une sorte d'excitation et d'enthousiasme. Il se souvint alors qu'au Service Z tout le monde paraissait plein d'enthousiasme.

"Aha" dit Joe Mode. "Elle doit les remonter par des discours."

Le lendemain, Joe fit venir tout le monde et il essaya de leur faire un discours stimulant.

Mais il ne se passa pas grand'chose. Quelques uns furent pleins d'enthousiasme pendant environ cinq minutes, puis chacun redevint comme auparavant.

Joe cogita un peu plus. "Hum. Lucy avait l'air si gentille avec tout le monde" pensa-t-il. "Je vais donc essayer quelque temps d'être bien gentil."

Mais cela non plus ne fit pas grand'chose. La plupart des gens furent gentils en retour, mais il n'en résulta pas que qui que ce soit accomplît mieux son travail ou s'impliquât plus dans ce qu'il faisait.

"Bon, fini Monsieur Gentil", pensa Joe. "Si le fait d'être gentil n'a pas déclenché l'éclair, je vais être Monsieur MESQUIN !"

Mais Monsieur Mesquin ne marcha pas mieux que Monsieur Gentil, et cela fit parfois empirer la situation. Les gens s'activaient en voyant Joe pour mieux ralentir dès qu'il avait le dos tourné. La tension montait. La qualité dégringolait. Les doléances du syndicat grimpaient.

Pour couronner le tout, Joe découvrit après quelques vérifications qu'il était extrêmement rare que Lucy Storm élève la voix avec quelqu'un. Et cependant son personnel mettait du cœur à l'ouvrage, faisait le travail en temps et en heure, et acceptait les responsabilités.

Que pouvait-il bien essayer d'autre ?

Alors Joe se dit "Hé, je parierais que Zapp n'est rien d'autre qu'un de ces fameux programmes de cercles de qualité !"

Il vérifia et effectivement, le Service Z avait un programme de cercles de qualité. Mais le Service Q aussi, et le Service B, et le Service K, et Joe savait qu'ils ne faisaient pas mieux que son propre Service N.

Bien des années auparavant, le Service N aussi avait eu son propre cercle de qualité. Mais il avait été une grosse déception et comme la plupart de ces programmes, il avait bientôt peu à peu disparu.

Les cercles de qualité n'étaient donc pas la même chose que Zapp.

"Je sais ! Je sais ! L'Argent ! L'Argent marche toujours !" pensa Joe. "Les membres du service de Storm doivent recevoir une sorte de bonus spécial ou des incitations particulières."

Mais il vérifia et s'aperçut que le Service Z respectait les plans salariaux normaux chez Normale, ce qui signifiait bien entendu pas d'incitation spéciale.

Il découvrit également que quelques services *avaient* essayé les boni et les incitations, mais avec des résultats mitigés. L'argent supplémentaire était toujours bien accueilli par ceux qui l'obtenaient, mais cela n'avait souvent pour seul effet que d'accroître les prix de revient.

A ce stade, Joe ne savait plus à quel saint se vouer. Il alla donc à la bibliothèque de la Compagnie Normale, et sur l'une des étagères poussiéreuses, il tomba sur un livre qui mentionnait quelque chose du nom de "management participatif".

Le livre disait :

Qu'est-il donc advenu du management participatif ?

Le management participatif est issu de l'idée d'impliquer les employés dans le processus de la prise de décision. L'idée de base existe depuis longtemps, mais elle connaît des hauts et des bas en termes de popularité.

L'un des gros problèmes est que pratiquement personne n'a compris ce que cela signifie vraiment. Dans les années 50, les managers pensaient que cela voulait dire être amical envers les employés. Dans les années 60, ils pensaient que cela voulait dire être sensible aux besoins et aux motivations des gens. Dans les années 70, les managers pensaient que cela voulait dire demander l'aide des employés. Dans les années 80, cela voulait dire avoir de nombreuses réunions de groupe.

A l'usage, des managers différents obtenaient des résultats différents. Un manager convoquait une réunion et essayait de faire s'impliquer les gens -- et ça marchait. Un autre manager faisait la même chose et rien ne se produisait.

Le nom-même de "management participatif" semblait impliquer que c'était quelque chose que le *management* faisait (ce qui à son tour semblait limiter la façon dont les employés voudraient ou pourraient participer). En réalité, "l'implication des employés" est un terme qui va de pair avec "management participatif", et les deux termes peuvent pratiquement s'utiliser l'un pour l'autre.

Bien que le management participatif n'ait pas été un échec, la confusion sur ce qu'il est (et n'est pas) a empêché qu'il se répande avec succès.

Se pouvait-il que le Service Z utilise le management participatif ? Joe ne savait pas. Tout était brouillé dans sa tête.

Joe lut ensuite quelque chose sur les programmes d'enrichissement du travail, les programmes de la qualité de vie au travail et toutes autres sortes de programmes. Mais le Service Z n'en avait aucun.

Peut-être cela tenait-il à la façon dont la Compagnie était organisée.

La Compagnie Normale toute entière avait été soumise l'année passée à une restructuration, et cela avait éliminé quelques strates de management intermédiaire. Les grands managers avaient baptisé cela dans le journal de l'entreprise ''aplatir l'organisation'' et on tenait cela pour une bonne mesure.

Joe n'en était pas aussi certain. Juste après l'aplatissement, *il* avait été presque aplati par le poids des nouvelles responsabilités qui lui étaient tombées dessus. Il semblait à Joe que si l'aplatissement d'une organisation avait du bon, il n'y avait que le Service Z à s'en être rendu compte.

Il se souvint alors du groupe de personnes réunies autour de la table dans le Service Z -- l'équipe !

''C'est ça !'' dit Joe. ''Les équipes de travail !''.

Mais non, bien d'autres services avaient essayé de mettre les gens dans des équipes de travail. Le Service Z avait *encore* quelque chose qu'eux n'avaient pas.

Et alors Joe pensa à des choses comme les systèmes de suggestion, plus de formation, de meilleures communications, des relations plus étroites entre les ouvriers et le management, la sécurité de l'emploi, et bien d'autres choses encore.

Dans chaque cas, si le Service Z les utilisait, elles marchaient. Si les autres Services de Normal les utilisaient, cela ne semblait pas servir à grand'chose.

Là, Joe séchait vraiment. Presque toutes les idées qu'il avait envisagées étaient, il fallait bien le reconnaître, très bonnes. Il fit donc une liste.

Le Bloc-Notes de Joe Mode

Les services ont essayé :

- Les discours stimulants
- Les cercles de qualité
- Des salaires plus élevés
- Le management participatif
- La qualité de vie au travail
- Une organisation aplatie
- Les équipes de travail
- Les systèmes de suggestion
- Plus (+) de formation
- De meilleures communications
- Des rapports ouvriers-managements plus étroits
- La sécurité de l'emploi
- Et bien d'autres programmes

Que s'est-il passé ?

- Les résultats furent généralement mitigés, de courte durée, contre productifs, semant le doute ou insignifiants -- dans la plupart des services de Normale.

- Ils ne marchent bien que lorsque c'est le Service Z qui les essaye.

Bon, alors, qu'est-ce que cela pouvait bien signifier ?

"Ce Service Z détient la clé qui fait fonctionner toutes ces nouvelles idées et ces nouveaux programmes, quelque chose qui nous manque encore", conclut Joe.

"Ça doit être l'éclair", se dit Joe, "Quoi que ce Zapp puisse être, il faut que ce soit un truc très puissant".

Le Bloc-Notes de Joe Mode

Zapp...

La clé du succès pour les idées nouvelles et les programmes nouveaux.

Ils marchent avec Zapp.
Ils échouent sans Zapp.

Mais arrivé à ce stade, Joe vit bien qu'il n'était pas
plus avancé pour comprendre ce qu'était Zapp. Il savait
qu'il lui fallait de l'aide. Il décida donc de violer La Règle
d'Or Numéro 1.

9

Ralph Rosco avait alors accompli ses trois jours de mise à pied et il était revenu travailler.

Le syndicat, bien entendu, avait déposé une réclamation en faveur de Ralph, mais c'était une odysée sans fin à travers la bureaucratie du management du personnel.

Entre-temps, son rendement avait touché le fond de l'abîme et désormais, il allait et venait comme un zombie jusqu'à l'heure de la sortie. Ce n'était pas le moment de parler à Ralph de quoi que ce fût qui touchât à la compagnie. Il avait même quitté l'équipe de basket de Normal.

Mais Joe Mode savait qu'il avait besoin d'aide et que Ralph était le seul dans le service à pouvoir comprendre de quoi il parlait.

Il alla donc un beau jour voir Ralph peu avant l'heure de la sortie.

"Ecoutez Ralph, je veux découvrir ce que c'était que cet éclair dans le service de Lucy Storm. Je n'y arrive pas tout seul, et je me demandais si vous voudriez bien m'aider."

"Vous voulez que *moi* je *vous* aide ? Laissez tomber !" cria Ralph.

"D'accord", fit Joe. "J'admets que ça a été dur pour vous. Mais si vous m'aidez à m'en sortir, je soumettrai votre gadget au comité de direction."

"Le proposer au Comité de direction de Normale ? Ha, Ha !" dit Ralph. "Ne me faites pas rire ! Ils ne feront rien, et s'ils font quelque chose, ce sera de le transmettre à des ingénieurs, qui n'en ont strictement rien à faire."

L'homme était plus fin que Joe Mode n'avait cru.

Joe lui dit alors : "Mais pensez-y -- pour m'aider, il faudra bien entendu que vous assembliez à nouveau votre Ralpholateur. Vous pourrez recommencer à vous en servir et vous aurez ma bénédiction."

"Ben..." dit Ralph.

"Et si nous réussissons à découvrir ce que c'est que cet éclair et ce qui lui fait faire Zapp, nous pourrons l'utiliser ici dans notre service, et vous y aurez contribué."

"Ben..." dit Ralph.

"Et plus tard, j'essaierai même de vous faire financer par la compagnie pour que *vous* puissiez continuer à développer votre machine. Qu'en dites-vous ? Allons-nous travailler là-dessus ensemble ?"

"Ben..." dit Ralph. "D'accord !"

Ils se serrèrent alors la main, tous les deux authentiquement passionnés. Et à cet instant, s'ils avaient pu observer ce qui se passait dans la 12ème Dimension, ils auraient pu voir un tout petit éclair passer entre eux.

Le lendemain même, Ralph remonta le Ralpholateur, l'alluma, et s'évanouit dans la 12ème Dimension.

Il commença par se promener au hasard. Au Service N, les choses et les gens étaient comme le premier matin -- pâles et sinistres avec tout le charme d'une prison sans barreaux.

Et au beau milieu se trouvait Joe Mode, habillé ce jour-là (aux yeux de ceux qui se trouvaient dans la 12ème Dimension) d'un chapeau de cow-boy, de bottes et d'éperons, et portant des pistolets à six coups, prêt à descendre quiconque se mettrait en travers de sa route.

Ralph allait poursuivre son petit bonhomme de chemin vers le Service Z lorsqu'il vit quelque chose qui lui avait échappé au cours de sa première visite.

Ralph observa Joe se diriger vers Marty, qui était toujours enroulé dans ses bandelettes, et peu après que Joe se fut mis à parler il y eut un flash de -- et bien, ce n'était pas un éclair.

Au lieu d'un flash de lumière, il eut un flash de nuit.

Un peu comme si on clignait des yeux.

Et il y eut un son.

Il ne fit pas Zapp !

Il fit "Ssssapp ¡"

Ralph eut comme l'impression d'un ballon qui se dégonflait. Après que le Sapp ¡ se fut produit, Ralph observa que Marty se mettait deux couches supplémentaires de bandelettes tout autour de lui, affaiblissant ainsi un peu plus la lumière qui restait en lui.

Ralph remarqua ensuite Becky qui essayait de dire quelque chose à Joe, et Joe qui s'en allait, sans lui prêter la moindre attention.

Sapp ¡

Et Becky ressembla encore plus à un zombie.

Puis Ralph entendit Joe expliquer à Phyllis comment accomplir un travail qu'elle avait déjà souvent fait auparavant sans même qu'il prenne la peine d'écouter son avis sur la meilleure façon de le faire.

Sapp ¡

Et un nouveau sac de sable apparut sur les fortifications de plus en plus hautes qui entouraient son bureau.

Il vit Joe se ruer vers quelqu'un qui avait un problème, lui retirer la tâche sur le champ, et se mettre à résoudre le problème lui-même.

Sapp ¡

Mais il n'y avait pas seulement ce que Joe faisait. Ralph entendit des gens dire aux autres de ne pas travailler autant -- parce que "c'est mauvais pour nous tous."

Sapp ¡

Il entendit un ouvrier dire à d'autres : "Ce n'est pas notre problème. Que les patrons s'en débrouillent."

Sapp ¡

Ralph se demandait ce qui pouvait bien se passer là.
Rien que des événements de routine, quotidiens, *normaux,*
rien que la plupart des gens auraient pu remarquer.

Mais lorsque ces choses se produisaient, les gens devenaient plus pâles et plus lents au lieu d'être plus brillants
et plus rapides.

Parfois, on voyait apparaître quelques nouvelles pierres sur le labyrinthe de murs qui sillonnaient le service, ou
une nouvelle chaîne s'enrouler autour du bras ou de la
jambe de quelqu'un, ou quelqu'autre entrave se former.

Quoi qu'il arrivât, cela contribuait à diviser et à con-
finer les gens, en draînant leur énergie ou en l'endiguant
pour qu'elle ne puisse plus servir.

Et Joe Mode en était le grand responsable. Il passait
son temps à sapper les gens de tous côtés.

"Il ressemble à un trou noir, il absorbe l'énergie de
tous ceux qui travaillent pour lui" pensa Ralph.

Tout cela ne se produisait pas qu'au Service N. Ralph
se promena dans la Compagnie Normale et il vit Sapp se
produire en maints endroits et de maintes manières.

A la fin de la journée, dans presque tout l'ensemble
de Normale, la majorité des gens étaient tristes, dé-énergisés.
A l'heure de la sortie, lorsque la lumière pénétra par les
portes ouvertes, ils se précipitèrent tous vers elle, heureux
que la journée soit finie.

Ralph les observa s'en aller courir chercher la dose
d'énergie dont ils avaient besoin, auprès de leur famille, de
leur maison et des choses qu'ils faisaient après leur travail.
Il revint en déambulant à travers le brouillard vers le Service N. Lorsqu'il y arriva, il vit que Joe était en difficulté.

Joe Mode était là, tout seul au milieu d'un énorme nuage de flashes de nuit. Il était plein de coups et de bleus, il avait perdu son chapeau de cow-boy, tenant la position contre des mâchoires et des griffes qui surgissaient de toutes parts dans le brouillard. Il avait courageusement tiré avec ses pistolets à six coups sur cette chose pourvue de plusieurs têtes. Bien que ses balles aient blessé quelques uns de ces monstres, il y en avait trop pour qu'il pût tirer sur tous, et maintenant ses pistolets étaient vides.

Qu'était donc cette chose qui affrontait Joe ? Ralph resta planté là à le regarder dans son combat perdu d'avance. Et alors Ralph eut un pressentiment viscéral de ce que c'était.

C'était tout ce que Joe avait Sappé à tous les autres. Ce que Joe avait pris, ce qu'il n'avait pas partagé, était en train de le vaincre. Qu'était-ce donc ?

C'était la Responsabilité.

C'était l'Autorité.

C'était l'Identité.

C'était l'Energie.

C'était le Pouvoir.

Bien entendu, Joe Mode ne crut pas un seul mot de cette histoire de Sapp ¡ ni sur le chapeau de cow-boy ou le pistolet à six coups.

"Allez donc voir vous-même" dit Ralph. "Ce n'est pas seulement dans notre service, c'est dans de nombreux endroits."

Joe alla voir le jour suivant. Invisible pour le monde normal, il traversa toute la compagnie.

Il vit un groupe d'ingénieurs en organisation qui simplifiaient tellement une tâche que ceux qui l'accomplissaient ne pouvaient pas comprendre pourquoi elle était importante -- elle n'avait aucun sens pour eux.

Sapp ¡

Il vit un chef s'attribuer tout le mérite d'une bonne idée -- que son assistant avait trouvée.

Sapp ¡

En marchant dans le couloir, Joe vit un petit morceau de nuit tourbillonner sur le mur. Cela s'avéra être un panneau d'affichage où se trouvait un exemplaire du dernier bulletin du comité de direction de Normale. "A partir de dorénavant", pouvait-on lire, "l'heure d'arrivée le matin de tous les employés de bureau sera enregistrée par la réceptionniste et contrôlée par la direction."

Sapp ¡

Joe se rendit au Service Marketing où il vit un vendeur qui parlait avec un client en colère. De petites perles de sueur coulaient du front du vendeur, parce qu'il n'avait aucune formation pour s'occuper des clients difficiles, ni les connaissances nécessaires pour régler le problème du client, et pas d'autorité pour faire autre chose que de s'asseoir et de subir.

Sapp ¡

De la cage d'escalier montèrent deux personnes qui parlaient de s'être fait griller pour une promotion par quelqu'un de moins expérimenté et de moins qualifié.

"Ça ne m'étonne pas" disait l'une. "Dans cette Compagnie, tes qualités ne comptent pas ; ce qui compte, c'est avec qui tu joues au golf."

Et l'autre acquiesça. "Et oui, pourquoi se casser la tête ? Les manœuvres de couloir, c'est ça qui compte."

Sapp ¡ Sapp ¡

Joe Mode sortit voir l'usine de fabrication de Normale. Il vit un cadre, un agent de maîtrise, un technicien et un opérateur qui se tenaient debout près d'une machine démontée.

"Je peux vider le chargeur et le faire marcher, mais il se coincera sans doute encore", dit le technicien.

"Ça se reproduit toutes les deux semaines" dit l'opérateur.

"Il faut qu'on prenne une journée pour le réparer", dit l'agent de maîtrise.

"Non, nous n'en avons pas le temps", dit le cadre. "Videz-le et faites-le redémarrer."

Le cadre s'en alla et le technicien dit : "C'est toujours pareil. Ils ne nous laissent jamais le temps de résoudre les problèmes."

"Ça n'avance à rien", acquiesça l'opérateur.

L'agent de maîtrise regarda alors le dos du cadre et marmonna dans sa barbe : "Il se fiche de la qualité -- ou des autres problèmes que je peux avoir."

Sapp ¡ Sapp ¡ Sapp ¡

Joe Mode continua son tour. Dans l'ensemble, il vit se produire beaucoup de Sapp et pas beaucoup de Zapp.

Lorsque Joe revint au monde normal, il s'assit avec Ralph, et tous deux établirent une longue liste de ce qui "Sappe" les gens.

Le Bloc-Notes de Joe Mode

Exemple de ce qui Sappe les gens :

- La confusion
- Le manque de confiance
- Ne pas être écouté
- Pas le temps de résoudre les problèmes
- Les manœuvres de couloir
- Quelqu'un qui résout les problèmes à votre place
- Pas le temps de travailler sur des enjeux plus importants
- Ne pas savoir si vous réussissez
- Les règles et les réglementations qui s'appliquent à tous
- Pas assez de moyens pour bien faire le travail
- Croire que vous ne pouvez rien changer
- Une tâche tellement simplifiée qu'elle n'a pas de sens
- Que tout le monde soit traité de façon identique, comme des pièces interchangeables

"Regardez" dit Joe après avoir parcouru la liste. "Ne trouvez-vous pas que beaucoup de ces exemples ont des points communs ?"

"La plupart concernent l'assurance et la confiance, ou plutôt leur manque", dit Ralph.

"Et l'estime et la maîtrise", dit Joe Mode.

"Si le manque de ces éléments-là nous Sappe", dit Ralph, "je me demande ce que cela pourra donner s'il y a plus d'assurance et de confiance, une plus grande estime et une plus grande maîtrise."

Ils se regardèrent. Avaient-il trouvé le secret ?

C'est à peu près à cet instant-là que Joe et Ralph commencèrent à prendre conscience que Sapp ¡ et Zapp ! étaient les deux moitiés de la même idée.

Le Bloc-Notes de Joe Mode

Zapp ! - Donner le pouvoïr ?

Sapp ¡ - Retirer le pouvoir ?

12

Ralph passa la matinée suivante à observer, invisible, le Service Z à partir de la 12ème Dimension.

Il se produisait beaucoup de Zapp un peu partout. Mais il était difficile de voir pourquoi. Il put cependant observer de grosses différences entre le Service Z de Lucy et le Service N de Joe.

Dans le Service Z, les gens dirigeaient en fait leur propre travail. Ils pouvaient prendre de nombreuses décisions de leur propre chef.

Dans le Service N, tout le monde devait en référer à Joe avant de faire quoi que ce soit.

Les membres du Service Z se comportaient comme si leur travail était important pour eux et qu'eux étaient importants pour leur travail.

Les membres du Service N se comportaient comme si leur travail ne comptait pas beaucoup dans l'ordre des choses.

Que les choses aillent bien ou aillent mal, les membres du Service Z en faisaient un peu une affaire personnelle.

Il était difficile de savoir comment les choses allaient au Service N et, qu'elles aillent d'une façon ou d'une autre, les gens pensaient qu'il était mauvais d'en faire une affaire personnelle.

Les membres du Service Z étaient si impliqués dans leur travail qu'ils en discutaient entre eux -- parfois même pendant les pauses.

Les membres du Service N vous auraient regardé de travers si vous aviez dit quoi que ce soit sur votre travail qui aurait pu indiquer une implication personnelle. Les seuls sujets de conversation admis pendant les pauses étaient le basketball, les projets de vacances et les jardins potagers.

Dans le Service de Lucy Storm, la journée était finie lorsque vous aviez terminé votre travail de ce jour-là. Chacun alors s'en allait avec un sentiment de satisfaction, fatigué mais encore plein d'énergie et *désireux* de revenir le lendemain.

Dans le Service de Joe Mode, la journée était finie lorsque la sonnerie retentissait, et les gens sortaient en toute hâte, en comptant les jours qui restaient avant le week-end, la retraite ou les deux.

Et après avoir passé un certain temps dans la 12ème Dimension, Ralph commença à se former une idée de ce que les gens ressentaient lorsqu'ils étaient Sappés et lorsqu'ils étaient Zappés.

Lorsqu'on vous a Sappé, voici ce que vous ressentez :

Votre travail appartient à la compagnie.

Vous faites ce qu'on vous a dit de faire.

Votre travail importe peu.

Vous ne savez pas si vous faites bien ou pas.

Vous devez toujours vous taire.

Votre travail est quelque chose de différent de vous-même.

Vous avez peu ou pas de maîtrise sur votre travail.

Lorsqu'on vous a Zappé, voici ce que vous ressentez :

Votre travail vous appartient.

Vous avez des responsabilités.

Votre travail compte.

Vous savez où vous en êtes.

Vous avez votre mot à dire sur la façon de faire les choses.

Votre travail fait partie de vous-même.

Vous avez une certaine maîtrise sur votre travail.

Deuxième Partie

Comment le Service N
fut Zappé

Le téléphone de Joe Mode se mit à sonner.

"Salut, c'est moi" dit Ralph lorsque Joe eut décroché.

"Il était temps que vous reveniez", dit Joe.

"Mais je ne suis pas encore revenu. Je suis debout près de vous dans votre bureau, dans la 12ème Dimension, mais vous ne pouvez pas me voir."

"Alors comment pouvez-vous me parler ?"

"Avec mon nouvel Ral-phone cellulaire, le seul téléphone qui marche dans la 12ème Dimension", dit Ralph. "J'ai inventé ce nouveau modèle portable pour ne pas avoir à revenir sans cesse dans le monde normal pour vous parler."

"D'accord, c'est très bien. Alors qu'avez-vous découvert d'autre ?" demanda Joe qui, comme d'habitude, n'avait pas de temps à perdre en bavardages inutiles.

Ralph lui fit donc un rapport complet sur ce que les personnes Sappées ressentaient et sur ce que les personnes Zappées ressentaient.

"C'est ça !" dit Joe Mode après que Ralph eut expliqué ce qu'il avait vu.

"Quoi ça ?" demanda Ralph.

"Ce que vous venez de dire. C'est simple. Les gens Zappés, leur travail leur appartient, ils ont des responsabilités, ils prennent des décisions tout seuls -- d'accord ? Alors je vais faire en sorte que tout le monde soit comme ça ici."

"Mais comment ?" demanda Ralph.

"Et bien, c'est évident, je vais tout simplement convoquer une réunion et je vais leur dire ce qui va se passer", dit Joe Mode.

Et écartant le moindre doute, Joe fit le tour du service pour dire à chacun de tout laisser en plan et de venir assister cinq minutes à une réunion importante.

"Bon, écoutez-moi bien tous" dit Joe lorsqu'ils furent rassemblés. "A partir de maintenant, votre travail vous appartient. Totalement. Je ne prends plus de décision à votre place. Vous avez la responsabilité de tout ce qui concerne votre travail. Chacun de vous peut décider comment il va l'accomplir. Vous êtes maître à bord. A partir de cet instant, je vous fais entièrement confiance. Oh, à propos, votre travail à tous est important, alors maintenant tenez-en compte. Y a-t-il des questions ?"

Il n'y en eut bien sûr aucune parce que personne n'avait la moindre idée de ce dont il parlait.

"Bon. Tout le monde au travail", dit Joe.

Après avoir fait son discours, Joe Mode retourna à son bureau, mit les pieds sur sa table et rêva les yeux ouverts de félicitations de la direction et d'augmentation de salaire.

Une demie-heure plus tard, Ralph l'appela et lui dit : "Joe, ça m'ennuie de vous le dire, mais les choses ne vont pas très bien."

"Comment ? Tout le monde n'est pas Zappé après le discours que j'ai fait ?" demanda Joe.

"Vous feriez mieux de regarder vous-même."

Et, en fait, lorsque Joe sortit de son bureau, il vit que le Service N était en état de chaos.

Comme on leur avait donné le pouvoir de prendre les décisions eux-mêmes, certains avaient décidé de faire une pause pour le restant de la journée.

Dans tout le service, des disputes avaient éclaté entre ceux qui travaillaient. Chaque personne voulait faire les chose à *sa* manière *à elle*.

Mais la plupart continuaient exactement comme auparavant, comme si la déclaration de Joe n'avait jamais eu lieu.

Après toute une vie passée à travailler en état de Sapp, personne ne savait quoi faire.

Joe convoqua une autre importante réunion de cinq minutes et dit : "Vous vous souvenez de ce que je vous ai dit tout à l'heure ? Bon, alors, oubliez-le. A partir de maintenant, je reprends les commandes."

Et tout le monde se retrouva doublement Sappé.

L'affaire était plus délicate que Joe Mode ne s'était imaginé. Il se retira dans son bureau et écrivit sur son bloc-notes :

Le Bloc-Notes de Joe Mode

Il est facile de Sapper.
Il est difficile de Zapper.

"Qu'est-ce que je fais maintenant ?" se demanda-t-il à voix haute en arpentant la pièce. "Si je n'arrive pas à Zapper les gens en leur *parlant*, comment puis-je y arriver ?"

Quelques instants plus tard le téléphone sonna. C'était Ralph, qui se trouvait toujours dans la 12ème Dimension et qui pouvait entendre tout ce que Joe disait et voir tout ce qui se passait dans sa tête.

"Vous savez, Joe, je n'ai jamais vu Lucy essayer de Zapper les gens en leur *parlant*. Je ne pense pas que ce soit comme cela qu'elle fait."

"Comment fait-elle, alors ?" demanda Joe.

"Eh bien...", dit Ralph. "Je n'en suis pas vraiment sûr."

"D'accord, nous allons le trouver d'une façon ou d'une autre", dit Joe. "Allez au bout du couloir, trouvez Lucy et suivez-la partout. Découvrez *exactement* ce qu'elle fait."

Et c'est ce que fit Ralph.

Une heure plus tard, le téléphone de Joe sonna à nouveau ; c'était Ralph, pour rendre compte de sa première observation.

Ralph avait surveillé Lucy et il avait remarqué que toutes les fois qu'elle parlait à quelqu'un, elle ne le rabaissait pas ni ne le faisait se sentir inférieur. Même s'il y avait un problème, elle disait ce qu'elle avait à dire de façon à ce que les gens puissent se sentir sinon en valeur, du moins bien dans leur peau. C'est-à-dire qu'elle maintenait ou réhaussait *l'estime de soi.*

"D'accord, je vais essayer ça", dit Joe. "Suivez-moi pour surveiller ce qui se produit."

Joe réfléchit un instant et se rendit ensuite dans le service. La première personne qu'il aborda fut Marty.

"Vous savez, Marty, vous êtes vraiment habillé du dernier chic", dit Joe. "J'aime surtout comme vos chaussettes sont toujours bien assorties et comme votre chemise et votre pantalon vont toujours bien ensemble."

Puis Joe vit Dan et lui dit : "Dan, vous jouez magnifiquement bien au basketball."

Dan lui répondit : "Oh, merci, Joe. Vous le pensez vraiment ?"

"Bien entendu. Mais vous savez Dan, vous avez réellement royalement massacré votre travail hier. Je vous suggère de vous reprendre et de ne plus jamais recommencer. Ça m'embêterait que le service perde son meilleur joueur de basket."

Joe retourna alors à son bureau et attendit que Ralph l'appelle pour lui donner son résultat.

"Lorsque vous avez parlé à Marty, il ne s'est rien produit. Pas d'éclair, pas de Zapp, rien", dit Ralph. "Et quand vous avez parlé à Dan, vous l'avez véritablement Sappé."

"Pourquoi ? Je leur ai dit à tous deux de gentilles choses. Cela n'a pas eu d'effet sur leur estime de soi ?"

"Mais, Joe, vous n'avez rien dit de positif sur leur *travail*. Lucy ne perd pas son temps à dire aux gens qu'ils ont fière allure ou qu'elle aime leur façon de jouer au basket. Elle leur parle des choses auxquelles ils travaillent. Et n'oubliez pas, elle ne rabaisse jamais les gens, même s'il y a un problème."

"D'accord", dit Joe. "J'essaye encore une fois."

Il ressortit à nouveau, trouva Marty, et lui dit : "Marty, je vous félicite parce que votre espace de travail est toujours propre. Vous êtes très bien organisé, et je suis sûr que cela vous aide à faire un travail de qualité et à le faire plus vite. Continuez comme ça."

Il alla ensuite trouver Dan et lui dit : "Dan, ce qu'en réalité j'ai voulu dire tout à l'heure, c'est que je pense que vous êtes habituellement un ouvrier de premier ordre. Hier, vous avez fait une grave erreur, mais j'espère que vous allez continuer à fournir le genre de travail que vous produisez généralement."

Dan acquiesça à ces propos et dit : "J'essaierai de faire en sorte que cela ne se reproduise plus."

"Entendu" dit Joe. "Vous êtes un type bien et je n'en demande pas plus."

Après chacun de ces échanges, Ralph put voir de petites étincelles d'éclair. Petites, à peine visibles, mais bien là. Il appela Joe.

"Gagné !" dit Ralph. "Vous avez réussi ! Vous les avez Zappés !"

Quelques jours passèrent et Joe continua à utiliser des paroles destinées à maintenir l'estime de soi de chacun lorsqu'il parlait du travail en cours.

En fait, il prit même la peine de développer l'amour-propre, s'efforçant plusieurs fois par jour de dire quelque chose de constructif à chaque membre du service. Son raisonnement était le suivant : après avoir été Sappés toutes ces années, il allait falloir de nombreux petits Zapps pour induire chez eux une charge positive.

Mais la qualité de ce qu'il leur disait était elle aussi importante. Si ce que Joe disait n'était pas sincère ou pas mérité, les gens s'en rendaient compte. Dans ces cas-là, le Zapp se transformait vite en Sapp ¡

Au fil du temps, Ralph vit les petites étincelles d'éclair du Service N devenir plus brillantes. Cependant, elles étaient encore petites, rien de semblable à l'éclat ou à la taille des Zapps du Service Z.

''Vous avez fait du bon travail en observant ce que faisait Lucy'' dit Joe à Ralph. ''Je sais que nous sommes sur la bonne voie. Mais maintenir l'estime de soi ne doit être que la première étape. Continuez donc à observer pour voir ce qu'elle fait d'autre.''

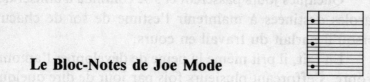

Le Bloc-Notes de Joe Mode

Première étape
de Zapp :

Maintenir
L'Estime de Soi

14

Le jour suivant, Ralph retourna au Service Z, et il s'y passait toujours les choses étonnantes habituelles. On domestiquait des monstres, on gagnait des batailles, de nouvelles perspectives s'ouvraient, de nouvelles visions se créaient. Et l'éclair incroyable qui engendrait tout cela par son énergie Zappait avec éclat entre Lucy et son personnel.

Ralph remarqua alors quelque chose qu'il trouva plutôt bizarre. Bien qu'un peu d'éclair se produisit lorsque Lucy parlait, souvent, elle se trouvait simplement là avec quelqu'un, ne faisant apparemment rien et Zapp ! -- un petit trait d'éclair passait d'elle à l'autre personne. C'était comme si Lucy pouvait engendrer un Zapp juste en se tenant près de quelqu'un.

Pourtant Ralph, arrivé à ce stade, savait que le Zapp ne se produisait pas tout seul. Lucy devait être en train de faire quelque chose. Il la surveilla un peu plus.

Il remarqua alors que Lucy laissait parler l'autre personne. Elle se tenait debout ou assise tout près, avec souvent la main sur le menton, les yeux fixés sur l'autre personne, la tête parfois légèrement penchée sur le côté. Et ce faisant, un petit Zapp passait entre elle et son interlocuteur.

Que fait-elle donc ? se demandait Ralph.

Mais bien sûr ! Elle *écoute* !

Il prit le Ral-phone, appela Joe Mode et lui dit : "On peut aussi Zapper les gens en les écoutant".

"Et alors, qu'est-ce que ça a d'extraordinaire ?", demanda Joe Mode. "Je passe mon temps à écouter les gens."

Ralph ne dit rien.

"Est-ce que je n'écoute pas les gens ?" demanda Joe.

Ralph ne dit toujours rien.

"ET BIEN, JE N'ECOUTE PAS ?"

"Bien souvent, je ne crois pas, Joe", dit Ralph.

"Et pourquoi ça ?"

"Parce que pendant que je vous parle vous faites autre chose, ou vous ne me laissez pas finir ce que j'ai à dire, ou quand j'ai fini vous changez de sujet", dit Ralph.

Joe encaissa le coup. Puis il dit : "D'accord, mais comment savez-vous qu'*elle*, elle écoute vraiment ?"

"Et bien, parce qu'elle regarde la personne, et qu'elle hoche la tête pour montrer qu'elle comprend."

"Mais bon sang, Ralph ! Mes enfants le font aussi ! Et je ne peux jamais savoir s'ils m'écoutent ou pas", dit Joe.

"Attendez, je sais", dit Ralph, en se rappelant que Lucy faisait quelque chose d'autre à chaque fois qu'elle écoutait, quelque chose qui faisait briller l'éclair plus fort. "Lorsque l'autre personne a fini de parler, Lucy fait un bref résumé de ce qui a été dit."

"*Elle écoute donc vraiment*", pensa Joe.

"Bon, je vais essayer ça", dit-il à Ralph.

Et c'est ce qu'il fit.

Dès qu'il sortit de son bureau, Phyllis vint le trouver et se mit à lui parler d'un problème qu'elle rencontrait.

Joe se tint devant elle.

Il la regarda dans les yeux.

Il fixa toute son attention sur elle.

Il hocha la tête à chacun de ses arguments.

Mais au bout de quelques secondes, il trouva qu'il était difficile de bien écouter. Bien que Phyllis aille rapidement à l'essentiel, les propres pensées de Joe ne cessaient d'arriver plus vite que ses mots à elle. Ses propres pensées semblaient recouvrir complètement ce qu'il entendait. S'il ne faisait pas l'effort d'écarter ses propres pensées et se concentrer sur ses paroles à elle, il n'entendait bientôt plus ce qu'elle disait.

Lorsque Phyllis eut terminé, Joe essaya de résumer ce qu'elle avait dit afin qu'elle sache qu'il avait écouté. Mais il découvrit qu'il n'avait saisi que la première partie de ce qu'elle avait dit.

Il essaya pourtant encore. C'est une autre qualité qu'il faut reconnaître à Joe : il continuait toujours à essayer.

En traversant le Service N, il s'exerça à écouter les gens tout le restant de la journée. Et le lendemain. Et le surlendemain.

Au bout d'un moment, Joe Mode sut bien écouter les gens. Au lieu de laisser ses propres pensées interférer avec le message qu'il écoutait, il s'occupait l'esprit en faisant mentalement une liste de chaque argument soulevé par la personne. Il lui était ensuite facile d'en faire un court résumé. S'il se trompait sur un point, la personne qu'il avait écoutée pouvait le corriger.

En plus de faire savoir aux gens qu'il était attentif à ce qu'ils disaient, il commença aussi à comprendre ce qui se passait vraiment au Service N. Pendant ce temps, Ralph, son travail terminé, branchait chaque jour le Ralpholateur pour aller voir où en était Joe.

Comme vous pouvez l'imaginer, cela plaisait beaucoup à Ralph de contrôler son chef. Au début, Ralph, qui avait un petit côté cynique, s'imagina que Joe Mode n'écouterait *jamais* vraiment quelqu'un. Il pensa même qu'il pourrait bien avoir le sinistre plaisir de dire à Joe Mode, à la fin de la semaine, que les Zapps ne se produisaient pas, et que Joe n'apprendrait jamais.

Ralph se trompait.

En vérité, à sa grande surprise, Joe s'en tirait très bien. Par le simple fait de maintenir l'estime de soi et d'écouter les gens, les Sapps étaient devenus bien moins nombreux et les Zapps beaucoup plus courants. Il y avait maintenant une lueur faible mais bien réelle dans tout le Service N

Il n'était même pas nécessaire que Ralph fût dans la 12ème Dimension pour le remarquer. Il y avait moins de tension dans le Service N. Il semblait que les problèmes se réglaient un peu plus vite. Le flux du travail semblait un peu plus régulier.

Et pourtant, il lui fallut bien signaler que les Zapps que Joe Mode fournissait en écoutant n'avaient pas l'amplitude de ceux de Lucy Storm. Lorsque Joe Mode écoutait, le Zapp commençait à grandir et à rayonner comme le faisait le sien à elle. Mais, ensuite, Joe Mode s'en allait, et le Zapp s'évanouissait. Il devenait même parfois un Sapp

Un jour, Ralph eut des problèmes avec "les entrailles" d'un normalateur. Ralph en parla donc à Joe.

"J'ai travaillé dessus toute la matinée, mais je n'ai pas les outils qu'il faut pour régler le problème'', dit Ralph, l'air extrêmement frustré.

Joe Mode écouta avec respect, hocha la tête, et reprit même en un résumé très précis ce que Ralph avait dit.

Puis Joe Mode tourna les talons et s'en alla.

"Hé, Joe, attendez une minute'' dit Ralph.

Joe revint sur ses pas et dit : "Qu'y a-t-il ?''

"C'est tout ?'' demanda Ralph. "C'est tout ce que vous allez faire ?''

"Qu'attendez-vous d'autre ?'' demanda Joe.

"Au moins une réponse quelconque'' dit Ralph.

Joe était dérouté. N'avait-il pas fait ce qui rendait Zappé ? N'avait-il pas écouté ?

Et Ralph comprit tout d'un coup pourquoi Joe n'engendrait pas la charge maximum lorsqu'il écoutait.

"Joe, je pense que cela comporte deux parties'' dit Ralph. "L'une consiste à écouter, l'autre consiste à répondre. Vous écoutez parfaitement bien, mais souvent vous ne répondez pas.''

Et Joe lui dit : "D'accord, et si je disais : j'ai bien enregistré ; maintenant retournez au travail.''

"Ça me fait l'impression que tout ce que vous voulez c'est de vous débarrasser de moi'' dit Ralph. "C'est un Sapp ¡''

"Mais je ne voulais pas me débarrasser de vous'', dit Joe. "En fait, j'allais essayer de vous procurer de l'aide.''

"Pourquoi alors ne pas le dire ?'' dit Ralph.

A quoi Joe répondit : "Bien, alors, et si je disais : j'ai bien enregistré ce que vous avez dit. Et je vais vous trouver l'aide dont vous avez besoin.''

Ralph y réfléchit. "Et bien, c'est un petit peu mieux, mais d'une certaine façon ça donne l'impression qu'il manque encore quelque chose. Vous voyez, j'ai passé toute ma matinée à essayer de régler ce problème, et vous ne m'en avez même pas donné acte."

Alors Joe Mode comprit tout d'un coup. Il avait écouté et répondu aux paroles que Ralph avait prononcées, mais pas au ton avec lequel Ralph les avait prononcées.

"D'accord, *je sens bien que vous êtes très frustré*", dit Joe Mode. "Essayez de travailler sur quelque chose d'autre en attendant que je vous trouve l'assistance dont vous avez besoin."

Et lorsqu'il dit cela, il se produisit un Zapp, et il dura plus longtemps, et il brilla plus fort que ce qui s'était produit auparavant. A partir de là, Joe sut qu'il ne devait pas seulement écouter, mais qu'il devait aussi *répondre avec empathie.*

Dorénavant, après avoir écouté, Joe essaya de répondre à son interlocuteur de façon appropriée, et de réagir non seulement aux mots réels, matériels, mais aussi à tout ce qui se cachait derrière les mots.

Cela signifiait que Joe Mode devait accorder son attention au contexte global de ce qu'on lui disait, et prendre en compte non seulement le ton de voix de la personne, mais également des choses comme le langage du corps, les expressions du visage, et ce qui avait conduit à cette discussion.

Par exemple, lorsque quelqu'un venait voir Joe parce qu'il avait un problème, Joe disait souvent à peu près ceci : "D'accord, je comprends, vous êtes contrarié. Essayons d'arranger cela ensemble."

Lorsque quelqu'un venait voir Joe pour une requête, il lui disait à peu près ceci : "Je suis conscient que ceci est important pour vous. Nous allons voir ce que nous pouvons faire."

Bien entendu, il arrivait souvent qu'on ne pouvait rien faire. Parfois, il fallait vivre avec les problèmes plutôt que les résoudre ; il fallait parfois rejeter les requêtes.

Dans ces cas-là, Joe disait à peu près ceci : "Je sais que c'est dur pour vous, mais pour l'instant nous ne pouvons rien faire. En attendant, il est important pour le service tout entier que vous vous accrochiez et que vous fassiez de votre mieux."

Même cela comptait pour un Zapp. Parce que les gens savaient qu'au moins ils avaient été entendus et respectés. Et ils savaient que leur chef était avec eux et non pas contre eux.

Le Bloc-Notes de Joe Mode

Deuxième étape
de Zapp :

Ecouter et
Répondre
avec Empathie

15

Certains disent que c'est des Services Techniques qu'elle arriva, et qu'elle était l'œuvre de Bob, un jeune concepteur dont l'esprit avait été engourdi par le sort d'un méchant magicien venu d'une autre galaxie.

Certains disent que c'est de la Direction Générale qu'elle arriva, et qu'elle dormait depuis de nombreuses années sous le bureau d'un vice-président -- en hibernation jusqu'à ce qu'elle soit réveillée par la fanfare accompagnant la proclamation par la direction d'une nouvelle politique de l'entreprise.

Et certains disent qu'elle était depuis toujours au Service Opérations, petite et mignonne au début, mais grandissant, sortant furtivement la nuit, se gavant de mémoires, de rapports et d'autres combustibles.

D'où qu'elle vint, c'était une grosse mère dragon. Et elle marchait fièrement dans les couloirs de Normale, dans la 12ème Dimension, à la recherche d'un endroit pour pondre.

Ralph la vit un beau jour. Il était en train d'effectuer des relevés avec son Zappomètre qu'il venait de mettre au point pour mesurer les ratios Sapp ¡ - Zapp ! et les niveaux d'éclair.

Le Service N était devenu un endroit beaucoup plus clair. La semaine passée, Ralph avait observé un ratio de 1:2 de la fréquence Sapp ¡ - Zapp ! ainsi qu'une amélioration de 14 flashes de la charge moyenne du Zapp du Service.

Ralph observait Joe Mode qui traversait le Service N. Joe avait toujours son chapeau de cow-boy et ses éperons, mais il était rare maintenant qu'il dégaine ses pistolets à six coups. Lorsqu'il disait et faisait des choses Zappantes -- maintenir l'estime de soi de chaque personne, écouter et répondre avec empathie -- de petits zig-zags d'éclair claquaient entre lui et les autres.

Les choses allaient mieux, mais l'éclair n'allait pas encore bien loin et ne durait pas bien longtemps. Lorsque Joe n'était pas dans les parages, les gens devenaient rapidement ternes. Leur éclat s'affaiblissait, comme de l'acier chauffé au rouge qui devient gris en se refroidissant. Contrairement au Service Z, le Zapp ne les reliait pas entre eux et la charge d'énergie n'atteignait jamais le seuil critique où elle se serait entretenue toute seule.

Alors que Ralph réfléchissait à tout cela, il sentit le sol trembler. Et un instant plus tard trembler encore. Et encore. Alors, il vit se profiler le museau violet et squameux du dragon.

Comme tous les dragons d'industrie, celui-ci était invisible pour le monde normal, mais ses effets étaient bien réels.

Un coup de griffes, et les données de l'ordinateur de Normale étaient effacées au hasard.

Un coup de queue, et une machine essentielle tombait en panne.

A chaque fois que le dragon respirait, des feux se déclaraient -- un millier de pièces arrivaient en retard et un tiers d'entre elles étaient défectueuses.

Le dragon resserra ses ailes contre lui pour passer la grande porte du Service N, prit une respiration profonde et -- whoosh -- un long jet de rouge et d'orange traversa le Service, mettant le feu à un normalateur qui se transforma en une montagne de flammes.

Joe Mode, qui était occupé à répondre avec empathie à quelque chose que Dan avait dit, s'interrompit immédiatement au milieu de sa phrase et fonça vers le feu, son chapeau de cow-boy se courbant et se tordant dans sa course jusqu'à devenir un casque de pompier.

Marty, qui était le plus près de la déflagration, avait déjà saisi la lance à incendie de la 12ème Dimension et s'apprêtait à ouvrir l'eau, mais Joe Mode arriva et la lui arracha des mains.

Sapp ¡ -- et la charge de Zapp de Marty, pour ainsi dire, disparut dans le sol.

"Poussez-vous !" dit Mode. "Ecartez-vous tous !"

Joe resta là, à chercher comment ouvrir la lance tandis que les flammes grandissaient.

Pendant ce temps, le dragon partit se promener dans l'allée centrale, lança sa longue langue fourchue, et la disquette informatique du traitement de texte de Mme Estello s'envola en fumée.

Bien entendu, Mme Estello ne sut pas quoi faire. Son travail consistait seulement à taper, n'est-ce pas ? Elle se leva donc pour apporter la disquette fumante à Joe Mode qui, naturellement, était trop occupé à manier la lance à incendie pour l'écouter.

Sapp ¡

Mme Estello laissa donc la disquette fumante dans le bureau de Joe et sortit faire une pause.

Et le dragon rugit à nouveau. D'autres jets rouges et orange sillonnèrent l'air et un autre incendie éclata à l'autre bout du service. Alors, le dragon agita vigoureusement sa queue pour propager les flammes.

Il y avait maintenant quatre ou cinq petits incendies qui s'étaient déclarés, et Joe était trop occupé à combattre le premier pour les remarquer. En réalité, il était trop occupé à s'amuser à combattre. C'était drôle d'être pompier. En fait, il n'aurait pour rien au monde cédé à quiconque sa lance ou son casque de pompier. Pourquoi l'aurait-il fait ? N'était-ce pas son travail ?

Il venait à peine d'éteindre le premier incendie lorsqu'il vit la fumée des autres. Il trouva soudain beaucoup moins amusant de combattre le feu. Il essaya de courir de l'un à l'autre, arrosant l'un, puis l'autre. Mais dès qu'il avait le dos tourné, les feux reprenaient de plus belle et devenaient incontrôlables.

Ralph observait, attendant que quelqu'un vienne aider Joe, mais personne ne vint. Joe Mode leur avait bien donné de temps en temps de petits Zapps, mais ils ne se sentaient pas de taille à affronter des dragons invisibles et les incendies qui faisaient rage. Face à ces éléments, ils n'étaient toujours qu'un groupe de zombies Sappés.

Ignorant totalement la conduite héroïque de Joe, ils continuèrent à faire ce qu'ils faisaient en temps normal, ou ils se tinrent simplement là, à se dorer à la chaleur pendant que Joe courait d'un feu à l'autre et que Mme Estello, revenue de sa pause, traînait derrière avec sa disquette brûlée, attendant que Joe lui dise quoi faire.

Et le dragon eut un sourire narquois.

Ralph appela par le Ral-phone, mais Joe, bien sûr, était trop occupé pour le prendre. Lorsque Ralph revint au monde normal, ils se retrouvèrent finalement ensemble là où travaillait Ralph. Joe entra aussi fatigué et en transpiration qu'un pompier peut l'être -- et plus qu'un peu énervé et frustré.

"Ralph, ce bazar de Zapp ne marche pas", se plaignit-il. "J'ai cinq normalateurs là-bas qui vont être rejetés par le contrôle. Le travail de bureau est retardé parce que Mme Estello n'a pas assez de Zapp pour découvrir ce qui ne va pas dans sa disquette de traitement de texte. Et je suis trop occupé à résoudre tous les problèmes ici pour Zapper qui que ce soit."

Mais Ralph, après quelques palabres, persuada Joe de venir voir ce que faisait le dragon.

A ce moment de l'histoire, le dragon, qui s'était bien amusé, avait déposé quelques œufs pour les couver plus tard, les laissant incuber à la chaleur des incendies qui se consumaient lentement, et il avait continué sa promenade.

Il était facile de le suivre à la trace. Service après service, on pouvait voir les agents de maîtrise et les cadres combattre les incendies, élucider les problèmes, réparer les exactions du dragon.

Dans un service, un directeur malin maniait lui-même la lance et avait en plus organisé une brigade de seaux ; et il donnait des ordres pour dire aux ouvriers zombies ce qu'ils devaient faire. Mais les zombies Sappés ne s'intéressaient pas beaucoup aux seaux, ni d'ailleurs de savoir si les incendies étaient éteints ou pas.

Lorsque le directeur fut appelé plus loin pour éteindre un autre feu avec sa lance, il oublia de dire à la brigade des seaux de mettre l'eau *sur le feu*. Et comme les zombies ne savent ni penser eux-mêmes, ni prendre eux-mêmes de décisions, ils jetèrent l'eau n'importe où. Ils trébuchaient sur les seaux, se répandant l'eau les uns sur les autres et se cognant les uns dans les autres.

Et tout cela faisait rire le dragon aux larmes.

Alors, du bout du couloir on entendit les sirènes. C'était le camion de pompiers des cadres, conduit allégrement par Marie-Hélène Krabofski elle-même, ressemblant comme toujours à un lutin, ses ongles couleur rouge pompier crispés dans le volant.

Avec elle dans le camion se trouvait toute la brigade des cadres volontaires du feu. ''Expert en Incendie'' pouvait-on lire en grosses lettres dorées sur chacun de leurs cirés.

Marie-Hélène stoppa le camion de pompiers dans un crissement de pneus et bondit dehors. La première chose qu'elle fit fut de se précipiter pour arracher la lance à incendie des mains du directeur.

''Donnez-moi ça'' dit-elle.

Sapp ¡

Et que firent les experts en lutte contre les incendies ? D'abord, ils firent une douzaine de fois le tour du camion pour faire partir tout le monde.

Sapp ¡ Sapp ¡ Sapp ¡

Ensuite, *ils* saisirent les seaux et se mirent à jeter l'eau eux-mêmes.

Du bout du couloir d'où le camion de pompiers était venu, on entendit alors un bruit de sabots. Oui, c'était un chevalier dans son armure brillante et monté sur un cheval blanc.

Le chevalier chevaucha jusqu'à Marie-Hélène.

"Salut, je suis Hugh Galahad, le Spécialiste en Mère Dragon" dit-il.

"Il était temps que vous arriviez" dit-elle.

"Oh oh, j'ai l'impression qu'elle est énorme" dit le chevalier.

"Ça nous le *savons*", dit Marie-Hélène en gesticulant, la lance à incendie à la main. "Maintenant allez la tuer ou je fais rouiller votre armure."

Sans même prendre le temps de demander à quiconque où pouvait être le dragon, le chevalier abaissa sa visière, pointa sa lance vers le bas et chargea dans la fumée. Malheureusement, comme son champ de vision était limité par les minuscules fentes de sa visière, le chevalier passa au galop à côté du dragon et transperça deux ouvriers.

Et le dragon s'esquiva par la sortie de secours. Il se dirigea vers l'étage des cadres supérieurs, avec l'idée de mettre quelques flammèches sous les tapis pendant que tout le monde était parti.

Ralph et Joe suivirent à distance respectueuse.

Le Service Z, bien sûr, n'était pas exempt des visites des monstres et des calamités des affaires. En fin de compte, la mère dragon prit par le couloir le chemin de ce service, aussi invisible à Lucy Storm qu'elle l'était au reste du monde normal.

Joe et Ralph arrivèrent juste après que le dragon fût entré dans le Service Z. Comme ailleurs, il souffla, lança et cracha le feu jusqu'au beau milieu de tout.

Mais Lucy n'essaya pas de résoudre toute seule le problème du dragon. Elle ne revêtit pas d'armure pour combattre le dragon, elle ne mit pas non plus de casque de pompier pour combattre l'incendie.

A la première volute de fumée, elle alla voir la personne la plus proche de la lance à incendie et elle dit, alors qu'un flash d'éclair se formait dans sa main : "Nous avons un problème, j'aimerais que vous nous aidiez..."

Zapp !

Et *cette* personne se saisit de la lance à incendie et décida de la façon de combattre le feu -- pendant que Lucy rassemblait d'autres personnes pour former un groupe et leur disait : "Nous avons un gros problème et j'aimerais toute votre aide..."

Zapp ! Zapp ! Zapp !

Ces personnes se mirent alors à parler entre elles pour décider quoi faire, pendant que Lucy retournait s'enquérir du feu. Le temps qu'elle revienne leur plan d'action était défini.

Sur un signe de tête de Lucy, certains se mirent un casque de pompier. Lucy leur donna alors des extincteurs et ils allèrent combattre les nouveaux incendies que le dragon allumait.

Le reste du groupe enfila des armures et s'en alla affronter le dragon. Contrairement aux nombreux dragons précédents, celui-ci était trop gros pour qu'ils puissent le tuer ou le dompter, mais à force de le harceler ils réussirent à le faire partir.

(Et cela ne prit pas bien longtemps car les dragons, comme vous le savez, préfèrent les endroits sombres et brumeux pour pondre leurs œufs, et il y avait beaucoup trop d'énergie et de lumière dans le Service Z pour qu'il s'y attarde longtemps ou y ponde beaucoup d'œufs).

Entretemps, Lucy était allée voir personnellement tous ceux qui travaillaient au Service Z et leur avait dit : ''Nous essayons de résoudre un problème et j'aimerais que vous nous aidiez...''

Zapp !

Et chacun avait colmaté ici et là les brèches pour les autres afin que le travail habituel soit fait.

Après son départ, on put se rendre compte que le dragon n'avait pas Sappé le service. Grâce à l'abondance de Zapp, cela avait été comme de combattre le feu par le feu. En fait, le Zapp brillait même maintenant encore plus qu'avant ; les gens s'étaient rechargés en ayant relevé le défi.

En observant tout cela, Joe se rendit compte que Zapp *marchait vraiment*. Il n'en avait tout simplement pas encore assez dans son service et il ne s'en servait pas encore à fond.

Juste au moment où lui et Ralph allaient partir, Hugh Galahad débeula dans le service. Lucy Storm dut se précipiter et saisir les rênes avant qu'il ne transperce l'un de *ses* ouvriers à *elle* par son imprudence.

''Holà !'' dit elle. ''Puis-je faire quelque chose pour vous ?''

''Laissez-moi tranquille. Je suis sur la trace d'une grosse mère dragon'', dit le chevalier.

''Elle était ici, mais nous l'avons chassée'', dit Lucy.

"*Quoi, Comment* ?" dit le chevalier. "Vous vous en êtes sortis par vous-mêmes ? Impossible !"

"Mais c'est pourtant ce que nous avons fait", dit-elle.

Et le chevalier, se sentant menacé, lui dit : "Mais vous ne devez pas faire cela, vous n'avez pas le droit ! Attendez un peu que j'en parle à Mme Krabofski !"

Sapp ¡

Le chevalier partit sur son cheval. Mais son Sapp fut bientôt surpassé par le Zapp du Service Z. Ce n'était pas le Sapp d'un misérable chevalier qui allait leur enlever de l'énergie.

Joe et Ralph retournèrent au Service N, où Joe rassembla Marty, Mme Estello et les autres.

Il commença par dire : "J'aimerai que vous m'aidiez à résoudre un problème..."

Zapp !

Le Bloc-Notes de Joe Mode

Troisième étape
de Zapp :

Demander de l'Aide pour Trouver des Solutions au Problème

(Rechercher des idées, des suggestions
et des renseignements)

16

"**E**h bien, pourquoi donc avons-nous ici autant d'incendies, pardon, de problèmes ?'' demanda Joe à tous ceux qu'il avait réunis et auxquels il avait auparavant demandé leur concours.

Au début, ils étaient tous trop Sappés pour parler. Au bout d'un silence d'une minute, Joe fut sur le point de jeter l'éponge et d'annuler la réunion.

Mais au lieu de cela, sur une inspiration, il lança au groupe un Zapp de tout premier ordre. Il leur dit qu'il pensait qu'ils étaient tous des gens raisonnables et intelligents, qu'ils voyaient bien ce qui se passait quotidiennement, et qu'ils avaient certainement des idées sur la nature du problème.

Marty fut le premier à avancer une supposition -- à laquelle Becky s'opposa vivement pour proposer une théorie à elle. Puis ce fut Luis qui eut une idée, et avant longtemps, plein de gens se mirent à parler.

Joe les Zappa un peu plus en écoutant ce que chacun avait à dire et en faisant une liste de leurs théories sur ce qui pouvait bien se passer.

Finalement, ils réduisirent la liste, sortirent vérifier ces idées et, bien sûr, il s'en trouva une qui était bien la cause du problème.

"Vous voyez, nous avons trop de couple-arrière dans le biduliston", dit Dirk, qui avait le premier suggéré cette possibilité.

"C'est certainement cela", dit Joe Mode. "Bon, merci pour votre contribution. Tout le monde au travail".

Et tout le monde partit en hochant la tête. Mais alors qu'ils tournaient les talons, que se passait-il dans la 12ème Dimension ?

Sapp ¡

Eh bien, c'est que Joe Mode trouva une solution (brillante, pensait-il) au problème du couple-arrière. Mais lorsqu'il sortit de son bureau pour leur dire qu'il avait trouvé et ce qu'ils devaient faire, ils le regardèrent avec des yeux de zombies.

En vérité, la solution de Joe Mode résolvait parfaitement bien le problème du couple-arrière -- à condition que les gens pensent à faire ce que Joe leur avait dit de faire. Mais son idée ne facilita les choses pour personne, et personne ne fit le moindre effort pour savoir si elle était bonne ou pas. Et bientôt de nouveaux feux se déclarèrent dans les bidulistons.

Joe en parla à Ralph, car désormais Joe avait confiance en Ralph et en ses avis.

"Ralph, comment se fait-il que ma solution si brillante ne marche pas ?" demanda-t-il.

Ralph avait une idée assez précise de ce qui n'allait pas. En vérité, Joe avait Zappé tout le monde en leur demandant de l'aider à résoudre le problème. Ensuite, Joe Mode les avait involontairement Sappés en leur retirant le problème des mains et en le résolvant lui-même.

"Mais ils ne peuvent pas proposer les solutions", se défendit Joe Mode. "Cela serait du temps perdu. Ils n'ont pas mon expérience, mon savoir-faire technique, ma large vision du contexte global."

"Ah ?" dit Ralph.

"En tout cas, c'est mon travail de trouver les solutions, non ?"

"Joe, le fait est là, vous avez toujours des feux sur les bras là-bas", dit Ralph. Votre idée a beau être brillante, personne n'est partie prenante dans sa bonne marche. Elle n'est pas à eux, elle est à vous. Ce n'est pas *leur* solution."

En grommelant dans sa barbe, Joe admit finalement que Ralph avait peut-être raison. Il dit à Ralph d'aller regarder dans la 12ème Dimension pendant qu'il leur parlerait à nouveau. Cette fois, pendant la réunion, il leur demanda leur aide non seulement pour trouver le problème, mais aussi pour proposer une solution.

Ce fut Luis, l'un des plus jeunes employés du Service N qui proposa la meilleure idée.

Il dit : "Pourquoi ne pas faire en sorte que les plafécrous restent desserrés, cela diminuera le couple-arrière dans les bidulistons."

Chacun, et Joe Mode lui-même tout surpris, réalisa immédiatement que c'était une idée géniale. Le groupe discuta de la meilleure façon de s'assurer que les plafécrous resteraient desserrés, et il y eut des Zapps partout aux alentours.

"C'est bien, merci beaucoup pour cette idée géniale, j'apprécie votre aide", dit Joe, et tout en faisant au revoir de la main il ajouta : "Je prends ça en mains."

Sitôt qu'il eut dit cela, Ralph, qui surveillait la scène depuis la 12ème Dimension, vit l'éclair, qui brillait fortement entre les membres du groupe, se porter sur Joe. Joe Mode, une fois de plus, avait prit, volé presque, leur éclair.

Chacun retourna à son travail normal, et Joe essaya de se servir de leur idée. En fait, Joe n'avait aucun moyen de "prendre ça en mains" à lui tout seul. Ce n'était pas *lui* qui desserrait ou resserrait les plafécrous. D'autres le faisaient.

Joe se rendit vite compte que *ces* autres n'étaient pas très enthousiastes. Ça ne les intéressait pas beaucoup que les plafécrous soient desserrés ou serrés. Ou alors ils ne comprenaient pas. Ou bien ils trouvaient des raisons en aparté pour que cette solution ne puisse pas marcher. Bien que Joe les ait Zappés en leur faisant avoir cette idée, il les avait sappés en les désimpliquant de sa mise en œuvre.

Et l'on entendit à nouveau le dragon marcher à pas lourds dans le couloir. Il vint au Service N et souffla le feu partout. Comme d'habitude, chacun attendit que Joe Mode vienne combattre les incendies. Ce qu'il fit.

A la fin de la journée, après s'être énormément diverti, le dragon poursuivit sa promenade.

Ralph vint voir Joe et lui dit : "Vous savez, Joe, quelque chose ne va pas."

"Ce n'est pas la peine de me le dire", dit Joe.

"Ne vous souvenez-vous pas de la toute première fois que nous avons vu Lucy Storm ? Vous souvenez-vous qui a combattu le dragon ?"

"C'est ce type qui travaillait pour elle", dit Joe.

"C'est exact", dit Ralph. "Et vous souvenez-vous de ce qui s'est passé quand le nouveau dragon est arrivé ?"

"Elle a formé une équipe pour combattre le dragon", dit Joe Mode.

"Et vous souvenez-vous qui *n'a pas* combattu le dragon ?"

"Mais bien sûr", dit Joe Mode. "C'est Lucy Storm qui n'a pas combattu le dragon."

Et en disant cela, il comprit. Lucy Storm avait offert ses services, mais elle n'avait frustré ni le groupe ni qui que ce soit du défi de combattre le dragon et ses incendies. Elle leur en avait laissé la responsabilité.

Le jour suivant, Joe Mode convoqua une troisième réunion. Cette fois, il reprit le problème depuis le début et le groupe discuta de la solution. Mais après qu'ils en eurent discuté, Joe Mode leur dit : "Parlons de ce dont *vous* avez besoin pour y arriver".

Cette fois, le Zapp demeura parmi les membres du groupe. Le problème leur appartenait, ainsi que l'idée pour le résoudre et le défi de faire réussir l'idée.

En fait, il y avait un petit peu trop de Zapp pour certains. Après des années de Sapp, ils étaient effrayés de se retrouver avec un éclair pointé sur eux. Leur première réaction fut d'essayer de s'en débarrasser, de se frotter pour qu'il parte, ou de renvoyer l'éclair à Joe et aux autres membres du groupe.

Joe dut réagir rapidement pour s'assurer qu'ils ne se Sapperaient pas tout seuls. Il écouta leurs craintes et il leur parla pour maintenir leur estime de soi et leur donner confiance. Il diminua aussi instinctivement le voltage de ces personnes-là, en leur donnant de plus petits flashes de Zapp, afin de ne pas faire sauter leurs fusibles.

Mais la plupart acceptèrent avec plaisir le Zapp qu'on leur offrait. Ils l'emportèrent avec eux jusqu'à leur poste de travail où il claqua et zigzagua parmi eux alors qu'ils n'effectuaient que leur travail normal.

Et le temps que le dragon revienne faire ses rondes, chacun sut quoi faire dès qu'apparut son horrible tête. Plutôt que d'attendre que Joe intervienne, ils saisirent les nouvelles lances à incendie, l'armure et les épées qu'ils avaient demandées et que Joe leur avait procurées -- et ils s'attaquèrent eux-mêmes au dragon.

C'est vrai que tout n'était pas parfait. Dan n'arrêtait pas de trébucher sur son tuyau. Marty s'occupait fébrilement d'un feu minuscule alors que derrière lui un énorme incendie faisait rage et devenait impossible à maîtriser. Les chasseurs de dragon maniaient les armes avec une grande maladresse. Et au milieu de ces événements dramatiques, la pauvre vieille Mme Estello continuait à taper sur son clavier en se demandant pourquoi il y avait une telle excitation.

Mais ce jour-là, ce furent les membres du Service N qui prirent du bon temps plutôt que le dragon. Et bientôt le dragon s'en alla. Les incendies furent très vite éteints.

"Nous avons réussi !" se dirent-ils tous entre eux.

Ralph, qui observait ce qui se passait depuis la 12ème Dimension, vit le service s'illuminer comme à l'aube. Et c'est ainsi que Joe Mode apprit à engendrer l'âme électrique de Zapp chez les gens normaux du Service N.

Le Bloc-Notes de Joe Mode

L'Essence de Zapp

Offrir son Aide Sans Prendre la Responsabilité

Le Bloc-Notes de Joe Mode

Les Trois premières étapes de Zapp !...

1. Maintenir l'Estime de Soi

2. Ecouter et Répondre avec Empathie

3. Demander de l'Aide pour Trouver des Solutions au Problème.

... conduisent à l'Essence de Zapp :

Offrir Son Aide Sans Prendre la Responsabilité

17

Il advint donc que le Service N se mit à éprouver le pouvoir de Zapp. Les gens commencèrent à ressentir l'éclair dans leur travail. Ensemble, ils avaient fait fuir une grosse matrone dragon et avaient vaincu ses incendies ravageurs. Ils se sentaient remplis d'énergie pour leur travail -- et certains pour la première fois de leur existence.

Et que ressentait Joe Mode ? Se prenait-il pour un héros ? Se sentait-il extraordinairement bien ?

Non, il se mit à se sentir de plus en plus nerveux, effrayé, et perdu.

C'était comme si tout ce qu'il avait appris au cours des semaines passées était parfait en période de crise, mais maintenant que le dragon les laissait en paix, il voulait tout arrêter et tout laisser tomber.

Ralph remarqua le changement.

"Joe, qu'est-ce qui ne va pas ?" demanda-t-il. "Vous avez l'air d'avoir des soucis. Vous ne Zappez pas les gens comme vous pourriez le faire. Qu'est-ce qui vous retient ?"

Joe marmonna quelques mauvais prétextes, mais Ralph continua à le pousser dans ses derniers retranchements jusqu'à ce qu'il lui dise ce qui l'ennuyait vraiment.

"Pour Zapper les gens à un niveau élevé, il faut que je les encourage à s'impliquer et à prendre les responsabilités, n'est-ce pas ?" dit Joe.

"C'est exact."

"Si je les laisse prendre la responsabilité, comment saurai-je s'ils sont à la hauteur ?"

"Là, ça me dépasse. Je suppose qu'il faut que vous leur fassiez confiance", dit Ralph.

"Leur faire confiance ? C'est facile pour vous de dire ça. Vous vous souvenez quand j'ai essayé de laisser chacun prendre ses propres décisions ? Ça a été un désastre !" dit Joe Mode.

"C'est vrai", acquiesça Ralph.

"Alors comment puis-je contrôler ce qui se passe ?" demanda Joe. "Et si rien n'est fait dans les temps ? Et si ce qui est fait n'est pas ce qu'il fallait faire ? Et si quelqu'un fait quelque chose à mon insu et que tout aille de travers ? Après qui Marie-Hélène Krabofski va-t-elle hurler ?"

"Après vous", admit Ralph.

"Exactement, moi. C'est après moi qu'on va hurler. C'est moi qu'on va blâmer. Et si les bêtises sont trop graves, je me ferai mettre à la porte", dit Joe Mode. "Bien sûr que j'aimerais que les gens soient Zappés -- mais pas si cela doit m'attirer des ennuis."

"Ecoutez, vous m'avez Zappé en me demandant de vous aider à découvrir comment Lucy faisait marcher le Service Z. Vous m'avez donné des responsabilités. Est-ce que je vous ai laissé tomber ?" répliqua Ralph.

"Non, mais je savais ce que vous faisiez", dit Joe. "Eh bien ?"

Si vous aviez été dans la 12ème Dimension vous auriez pu voir un soleil se lever dans la tête de Joe Mode. Bien sûr ! Offrir son aide aux membres du service signifiait aussi rester en contact avec eux, savoir ce qu'ils faisaient, ce qu'ils avaient l'intention de faire, les remettre sur la bonne voie.

En bref, il fallait quand même un certain contrôle. Mais comment pouvait-il exercer son contrôle de façon à ne pas Sapper tout le monde ?

En l'espace de cinq minutes, Joe eut tout ce dont il avait besoin pour comprendre.

D'abord, le téléphone sonna. C'était le Service Expéditions qui avait des ennuis avec "les entrailles" de l'un des normalateurs qu'ils étaient sur le point d'expédier. Est-ce que Joe pouvait s'arranger pour le faire réparer avant trois heures ?

Puis Phyllis entra et rappela à Joe que Marie-Hélène Krabofski avait besoin des chiffres du budget de l'année prochaine avant la fin de la journée.

Ensuite Becky vint demander combien il y avait de giralitons dans un dynabutor.

Et après, le préposé au courrier apporta les nouvelles spécifications techniques du Normalateur Modèle 303-B qu'il fallait transmettre à tous les membres du Service N.

Comment Joe allait-il régler tout cela ?

Au bon vieux temps, Joe Mode aurait essayé de tout régler ou presque à lui tout seul, et ce faisant il aurait Sappé tout le monde.

Cette fois, il décida de déléguer la responsabilité à la personne adéquate.

D'abord, il dit à Becky de *s'adresser* à Gary Girder aux Services Techniques. Il savait que Gary saurait combien il faut de giralitons pour un dynabutor et qu'il le lui dirait sur le champ.

Puis il alla trouver Ralph pour lui demander son aide au sujet du problème des Expéditions. Il savait qu'il pouvait avoir confiance en Ralph, il lui *délégua donc son autorité* pour aller aux Expéditions réparer ce qui n'allait pas.

Mais comme il était de la plus haute importance que le normalateur soit expédié avant trois heures, Joe établit un *suivi* du travail de Ralph en lui demandant de l'appeler à deux heures pour lui dire où il en était. Joe pourrait ainsi proposer son aide à Ralph s'il avait des problèmes.

(Et en fait, ce type de contrôle ne fut pas un Sapp pour Ralph ; parce que Ralph, lui aussi, avait compris l'importance de la situation. En réalité, ce fut pour lui un Zapp de pouvoir communiquer avec Joe au cas où la situation le dépasserait ou pour annoncer sa réussite.)

Joe dut ensuite s'occuper de la distribution des nouvelles spécifications techniques. Il demanda à Marty de s'en charger. Mais comme Joe savait qu'il ne pouvait pas avoir entière confiance dans le discernement de Marty dans tous les domaines, il se contenta de lui *déléguer la tâche* de transmettre les spécifications et il précisa : ''Dites à tout le monde de venir me voir s'il y a des questions à poser.''

Présentée ainsi, la tâche n'était pas délicate et il n'était donc pas nécessaire que Marty tint Joe au courant.

Enfin, il y avait le budget. Joe considéra que personne d'autre ne pouvait établir le budget. Il devait le faire lui-même. Il *garda* donc cette tâche pour lui.

C'est ainsi que Joe Mode commença à comprendre que le contrôle n'était pas absolu. Ce n'était pas tout ou rien ; le contrôle était affaire de degré.

Et la quantité de ce que l'on donnait aux autres ou que l'on gardait pour soi dépendait de la *situation*. La question du contrôle était en gros de savoir ce qu'il fallait déléguer et quand il fallait vérifier comment les gens s'en sortaient.

Le Bloc-Notes de Joe Mode

Lorsque je délègue la responsabilité, je choisis :

• De faire consulter la personne adéquate.

• De déléguer l'autorité d'accomplir la tâche et de prendre les décisions.

• De déléguer la tâche sans donner l'autorité de prendre les décisions.

• De garder la tâche pour moi.

La délégation entraîne la nécessité d'établir des contrôles :

• Un chef qui *contrôle trop* Sappe son personnel.

• Un chef qui *abandonne* tout contrôle Sappe son personnel.

• Un chef qui utilise le contrôle *en fonction de la situation* Zappe son personnel.

Les gens réagissent négativement aux contrôles seulement lorsque ceux-ci ne sont pas appropriés à la situation.

Le Bloc-Notes de Joe Mode

Partager la responsabilité avec les gens ne veut pas dire *abandonner* toute responsabilité.

Grâce au Zapp, les gens acquièrent des responsabilités dans leur emploi personnel, mais j'ai toujours la responsabilité de :

- Savoir ce qui se passe.

- Déterminer la direction que le service doit suivre.

- Prendre les décisions qu'ils ne peuvent pas prendre.

- M'assurer que les gens sont sur la bonne voie.

- Offrir une main secourable ; ouvrir les portes pour déblayer le chemin.

- Evaluer les performances.

- Etre un manager habile.

18

J oe Mode remarquait beaucoup plus d'initiatives et d'intérêt de la part des membres du Service N. Le seul ennui c'est que, gonflés à bloc, ils fonçaient tête baissée dans toutes les directions, dont certaines n'étaient pas très productives.

La crise due aux problèmes du biduliston avait été passionnante pour le personnel. Disons que cela avait été un peu comme de faire une bataille rangée contre un dragon invisible et de gagner. Beaucoup espéraient en secret qu'il se reproduirait quelque chose de cette sorte, et Joe découvrit que certains travaillaient encore sur ce même problème bien longtemps après qu'il fut résolu -- alors qu'ils négligeaient leur travail normal et ennuyeux.

Le Bloc-Notes de Joe Mode

- Zapp ne guide pas l'action ; il la galvanise.

- Pour que le travaille se fasse, je dois canaliser l'action dans la bonne direction.

Mais comment ?

Il essaya d'organiser plus de réunions afin qu'ils puissent discuter de ce qu'il restait à faire dans le service ; mais cela devint un problème en soi plutôt que la solution. Les réunions prenaient beaucoup de temps sur le travail, et on aurait dit qu'à chaque fois qu'il en tenait une, Marie-Hélène Krabofski passait là par hasard et se demandait pourquoi personne ne "travaillait". Joe essaya bien de lui dire que les réunions faisaient partie du travail, mais elle ne voulut rien savoir.

"Ce n'est pas pour cela que nous les payons", se plaignit-elle.

Joe séchait. Comment pouvait-il obtenir du service -- en tant que groupe et en tant qu'individus -- qu'il fasse ce qu'il faut, sans devoir tenir une réunion toutes les dix minutes, et sans être derrière chacun d'eux pour lui dire ce qu'il devait faire ?

Pendant un certain temps, Joe leur laissa prendre toutes les initiatives qu'ils souhaitaient. Il pensa que cela augmenterait leur Zapp. Ainsi donc, lorsque Luis vint lui dire qu'avec quelques collègues il voulait peindre le sol de leur zone de travail, Joe donna son accord et les aida à se procurer la peinture et les pinceaux dont ils avaient besoin.

Puis Luis vint lui dire qu'ils voulaient peindre le plafond et qu'ils avaient besoin de bâches de protection.

"Pourquoi voulez-vous peindre le plafond ?", demanda Joe.

"Cela réfléchira mieux la lumière et nous serons plus productifs", dit Luis.

Joe ne pensa pas que c'était une très bonne raison, mais il ne voulut pas Sapper leur initiative ; il donna son accord et les aida à se procurer les bâches.

Ensuite, Luis revint lui dire qu'ils avaient besoin de plus de tout parce qu'ils voulaient repeindre le couloir. Joe donna à nouveau son accord. Mais alors qu'il remplissait le bordereau de fournitures, Phyllis vint lui dire que la moitié du Service n'avait rien à fait.

"C'est étrange" pensa Joe. Il sortit faire le tour du Service et il découvrit l'équivalent d'une semaine de travail empilé devant les bâches et les pots de peinture dans la zone de travail de Luis -- qui était maintenant très belle car Luis et ses camarades avaient vraiment très bien travaillé.

"Dites-moi, Luis, comment se fait-il que vous ayez pris un tel retard dans votre travail ?" demanda Joe.

"Parce que nous avons été trop pris par la peinture qui devait nous rendre plus productifs", dit Luis.

"Mais ce n'est pas la peinture qui est réellement importante", dit Joe.

"Ah bon ?" demanda Luis.

"Non, en fait, je dirais que c'est plutôt en bas de la liste des choses à faire", dit Joe.

Luis secoua la tête, laissa tomber son pinceau dans le pot de peinture et dit : "Eh bien, alors, pourquoi ne nous avez-vous pas dit *ce* qui était important ? Nous n'aurions pas perdu autant de temps !"

"Bonne question", pensa Joe.

Sapp ¡

Pour ne rien arranger, Ralph vint rapporter à la fin de la journée que le niveau de Zapp avait baissé de dix flashes et qu'il diminuait rapidement. On aurait dit qu'en l'absence d'un dragon pour concentrer leurs efforts, ils changeaient ce qui n'en avait pas besoin, résolvaient des problèmes qui n'avaient pas besoin d'être résolus, jetant leur énergie dans tous les sens et se Sappant eux-mêmes.

Joe réfléchit un moment. On pouvait améliorer bien des choses au Service N, mais Joe n'avait pas d'objectif précis. Il alla voir Marie-Hélène Krobofski pour lui demander qu'elle lui explique ce que la direction attendait vraiment de lui et du Service N.

Mais tout ce que Marie-Hélène lui dit, ce fut : "Si vous ne connaissez pas votre travail, ce n'est pas à moi de vous le dire".

Joe battit en retraite dans son bureau. Si la direction ne voulait pas fixer des objectifs au service, raisonna-t-il, il devrait peut-être en trouver de son propre cru.

Ce qu'il fit.

Pour commencer, il fallut bien qu'il se demande : *qu'est-ce qui est important ?*

Les résultats. C'était ce qui comptait ; tout le monde le disait. Mais les résultats dans certains domaines étaient plus importants que dans d'autres. En fait, certains résultats étaient *déterminants* pour l'amélioration des performances du service.

Dans son bloc-notes, Joe écrivit **Domaine-clé de Résultat.**

Augmenter la production serait un Domaine-clé de Résultat. Tous les patrons ne voulaient-ils pas plus de production ? Joe pensa que c'était un bon pari.

Et maintenant, comment sauraient-ils s'ils progressaient ou pas ? Par des *mesures,* bien sûr. Il suffirait de vérifier le nombre d'unités actuellement livrées au Service O, et de vérifier à nouveau ce nombre après avoir fait les changements.

Comment sauraient-ils qu'ils avaient réussi ? Il leur fallait un *Objectif.* Joe fixa une augmentation de dix pour cent comme objectif convenable.

Le Bloc-Notes de Joe Mode

Pour canaliser l'action, définir ce qui suit :

Domaine-clé de Résultat
(La direction dans laquelle nous voulons aller)

Exemple : Accroître la production

Mesure
(Un moyen de savoir que nous allons dans la bonne direction)

Exemple : Nombre d'unités livrées au Service O

Objectif
Quelque chose qui indique si nous avons réussi

Exemple : 10 % d'augmentation

Joe savait qu'il existait probablement bien d'autres domaines dignes d'intérêt, où le résultat était déterminant, et qui avaient chacun leurs mesures propres et leurs objectifs propres. Mais pour commencer, ''accroître la production'' ferait l'affaire.

Pour prendre toutes ses précautions (parce qu'il savait qu'il aurait sans doute besoin plus tard de son accord sur certains points), Joe se dépêcha d'en informer Marie-Hélène Krabofski qui fut réellement très impressionnée.

Elle fouilla immédiatement dans ses dossiers, et du fin fond du tiroir du bas elle sortit une liste de choses que la haute direction de Normale considérait importantes pour la compagnie. Ils avaient pondu cette liste au cours d'une réunion à huis-clos, hors de la compagnie, plusieurs années auparavant, et dont personne ne sut jamais rien.

Au tout premier rang de cette liste il y avait ces mots :

Satisfaction du Client

''Votre idée d'accroître la production me plaît ''dit Marie-Hélène''. ''Mais je pense que vous devriez aussi faire quelque chose pour améliorer la satisfaction du client, parce que c'est important pour la compagnie.''

Cela posait un problème à Joe Mode. La satisfaction du client ? Comment aurait-il pu savoir ce que c'était ? Joe n'avait au grand-jamais *rencontré* un client.

Il se retira à nouveau dans son bureau, où il se mit à arpenter la pièce de long en large.

''Qu'est-ce que veulent *vraiment* les clients de Normale ?'' se demanda Joe Mode à voix haute.

''Ils veulent que les normalateurs fonctionnent quand ils les branchent, voilà tout'', dit Phyllis qui passait par là.

"Parce qu'ils *ne* fonctionnent pas quand les clients les branchent ?" demanda Joe Mode.

"Pas toujours, d'après ce qu'on m'a dit" dit Phyllis.

Joe Mode alla parler aux membres du Service. Oui, les réclamations des clients sur la qualité et la fiabilité étaient connues par le téléphone arabe depuis des années. Tout le monde le savait. (En fait, comme Joe le devina en parlant avec Ralph, l'incapacité de régler les problèmes posés par ces réclamations était une grande source de Sapp pour tous). Et le problème dont ils avaient le plus entendu parler était le manque de fiabilité des bidulistons.

Joe Mode fit donc le raisonnement suivant : Si le service améliorait la fiabilité des bidulistons, on pourrait mieux satisfaire les clients.

Et il l'écrivit noir sur blanc.

Domaine-clé de Résultat :
Fiabilité des Bidulistons

Mesure : Nombre de pannes signalées

Objectif : Faire, en moins d'un an, des
    bidulistons à 100 % sans panne

Joe était très satisfait de la tournure des événements, parce que les deux objectifs étaient complémentaires. Trouver les moyens d'améliorer la fiabilité du produit signifierait moins de travail à refaire, donc du temps gagné. Et de trouver les moyens de supprimer des étapes et de gagner du temps permettrait de simplifier le travail, ce qui signifierait moins d'erreurs, ce qui améliorerait la fiabilité.

Joe retourna voir Marie-hélène qui approuva immédiatement sa stratégie. Cela ne lui plaisait toujours pas qu'il tînt des réunions, bien sûr, et Joe attendit donc un jour où elle n'était pas là. Il réunit alors tout le monde et leur expliqua la perspective générale dans des termes accessibles à tous.

Produire plus, leur dit-il, signifiait que les clients auraient leurs normalateurs plus vite, au lieu d'avoir à attendre.

Une plus grande fiabilité des bidulistons signifiait des normalateurs qui fonctionnent lorsque les clients les branchent.

Ensemble, ces résultats signifiaient plus de clients satisfaits.

Ce qui signifiait que la Compagnie pourrait payer tout le monde.

Ce qui signifiait que chaque membre du Service N continuerait à avoir un emploi et pourrait se sentir fier du travail auquel il collaborait.

"C'est donc ça !" dit quelqu'un que Joe entendit. "Et je ne m'en suis jamais douté !"

Zapp !

Puis Joe Mode demanda leur aide pour trouver les moyens d'atteindre les objectifs qu'il avait fixés. Il aida chacun à fixer des objectifs mesurables qui permettraient au Service N d'atteindre ses objectifs généraux.

Chacun avait des objectifs personnels...

Pour contribuer aux objectifs du Service N...

Pour contribuer aux objectifs de la compagnie.

Pour la toute première fois, chacun d'eux savait ce qui était important, pourquoi c'était important, et pourquoi *ils* étaient importants et avaient leur place dans la perspective générale.

Ce fut un énorme Zapp !!

19

Le temps passa, et la performance du Service N commença vraiment à s'améliorer. Un jour que Joe Mode passait dans l'allée centrale Marty l'arrêta.

"Est-ce que je m'en sors bien ?" demanda Marty.

"Euh, oui, ça va", dit Joe Mode.

Le lendemain, deux autres personnes lui demandèrent : "Dites, Joe, comment le service s'en sort-il ?"

"Nous nous en sortons bien" dit Joe.

Après cela, ils cessèrent bientôt de demander. Quelques jours plus tard, Joe remarqua, grâce aux mesures, que tout le monde se relâchait. Et Joe alors n'osa rien leur dire, pensant qu'il ne leur dirait que s'ils s'en sortaient "bien".

Ralph avait effectué ses propres mesures des niveaux de Zapp, et il découvrit qu'ils avaient vraiment chuté.

"Que se passe-t-il ? Je leur ai dit qu'ils s'en sortaient bien", dit Joe.

"Mais que signifie "bien" ? lui reprocha Ralph. "Joe, si vous étiez un joueur de basketball, comment pourriez-vous bien jouer si vous ne pouviez jamais voir si le ballon va ou non dans le filet ? Ou si vous deviez jouer tous les jours, mais que personne ne vous dise le score ? Les gens qui s'impliquent dans leur travail veulent savoir exactement comment ils s'en sortent et comment toute l'équipe s'en sort -- et pas demain, mais aujourd'hui.

"Je vois ce que vous voulez dire", dit Joe.

Dès l'après-midi suivant, on plaça de grands tableaux noirs dans tout le Service N. Sur les tableaux, il y avait les objectifs de chacun, les objectifs de l'équipe et les objectifs du service. Près de ceux-ci, sur chaque tableau, un graphique montrait la progression de la personne, de l'équipe et du service.

Joe leur apprit comment enregistrer leur propre performance et mettre à jour leurs propres graphiques. Chaque ouvrier eut ainsi rapidement une information en retour sur la façon dont ils s'en sortaient et cela leur procura un sentiment de propriété encore plus fort.

Dès que les gens surent comment ils s'en sortaient -- Zapp ! -- le niveau d'éclair se mit à monter.

Malgré les craintes de Joe, même les mauvaises nouvelles pouvaient être un Zapp. Les gens faisaient un peu plus d'efforts lorsqu'ils voyaient qu'ils prenaient du retard.

Et si quelqu'un continuait à se laisser distancer, Joe Mode n'avait pas besoin de jouer le "méchant" en disant à la personne concernée que sa performance était mauvaise ; les mesures le disaient.

Mais la plupart du temps les mesures sur les graphiques montaient, montaient, montaient. Il ne fallut pas longtemps pour que le Service N atteigne ses objectifs de production. Joe leur parla à nouveau et ensemble ils définirent de nouveaux objectifs -- pour eux-mêmes et pour l'ensemble du Service.

Un après-midi, Joe Mode reçut un appel de Mack, le responsable du Service O, qui recevait la plus grande partie de la production accrue du Service N.

Il lui dit : "Joe, j'aimerais que vous descendiez voir quelque chose."

"D'accord, j'arrive tout de suite", dit Joe.

Lorsqu'il arriva au Service O, Mack l'attendait.

"Regardez tout ça !" dit Mack.

Et il y avait en effet au beau milieu du couloir une montagne constituée par la production du Service N, des piles et des piles, des tas et des tas.

"C'est formidable, n'est-ce pas !" dit Joe avec fierté.

"Eh bien, oui et non", dit Mack. "Vous voyez, avant, nous avions toujours besoin de plus en plus de bidulistons parce que sur 50 que vous nous fournissiez, nous trouvions des défauts dans 25. Depuis que vous nous fournissez des bidulistons qui marchent presque tous, il ne nous en faut plus autant. D'autre part, vous nous fournissez de plus en plus de bidulistons, mais nous n'avons plus de giralitons depuis deux jours."

"Ah, des giralitons ? Je vais voir si je peux pousser notre production", dit Joe Mode.

"Non, non Joe. Actuellement, nous n'avons pas besoin de *plus*" de production ; il nous faut la *bonne* production au *bon moment*."

"Oh", dit Joe.

Il retourna au Service N. Qu'allait-il faire maintenant ? Produire de plus en plus et de mieux en mieux Zappait tout le monde. Et bien, "de mieux en mieux", cela allait toujours, mais "de plus en plus" devait cesser. Il fallait changer les priorités. Comment faire pour que les gens aillent dans une autre direction sans Sapper le mouvement ?

Il alla d'abord les féliciter tous un par un pour avoir atteint les objectifs de production et de fiabilité accrues.

Zapp !

Ensuite, à la place d'un accroissement de la production il substitua un nouveau Domaine-clé de Résultat, de nouvelles mesures, et de nouveaux objectifs.

Il leur dit : "Nous n'allons plus mesurer les *accroissements* de la production. C'était important le mois dernier et nous avons atteint notre objectif. Ce mois-ci, nous allons mesurer la livraison dans les délais, et j'aimerais votre aide pour atteindre un nouvel objectif : livrer exactement le type de production dont le Service O a besoin, et quand il en a besoin, avec une marge de 10 minutes''.

Ils installèrent de nouveaux graphiques, dans tout le service et commencèrent les nouvelles mesures. Avant longtemps, avec Joe qui continuait à appliquer ses nouvelles méthodes -- Zapp ! -- les gens commencèrent à adopter de nouveaux comportements. Ils commencèrent à penser en termes d'exactitude et de besoin spécifique, plutôt qu'uniquement en volume.

Changer l'objectif changeait la direction.

Le Bloc-Notes de Joe Mode

- Un feedback permanent sur l'accomplisse-ment des objectifs maintient un niveau du Zapp élevé.

- Si possible, les gens doivent maitriser leur propre système de feedback.

- Changer les mesures et les objectifs Zappe les gens dans de nouvelles directions.

20

Malheureusement, les nouveaux objectifs exigeaient que plus d'informations soient traitées par Mme Estello, qui faisait toujours erreur sur erreur à jet continu.

Joe alla la voir un jour et le lui fit remarquer.

"Oh", dit-elle. "C'est donc *cela* qu'indique la ligne quand elle sort du graphique pour descendre vers le sol ?"

"Oui, c'est ce que cela indique, Mme Estello" lui expliqua Joe patiemment. "Vous voyez, le problème est le suivant : pour que le service atteigne notre nouvel objectif, il va nous falloir votre aide pour réduire le nombre d'erreurs provenant de votre travail."

Mme Estello acquiesça vaguement et donna l'impression qu'elle avait mangé à son déjeuner quelque chose qui ne passait pas bien.

"Vous faites ce travail depuis longtemps", continua Joe. "Je suis certain qu'avec votre expérience, vous pouvez trouver le moyen d'en améliorer la qualité et le rendement.''

"Je peux ?'' demanda-t-elle.

"Bien sûr, vous pouvez. Il vous suffit d'essayer. Nous en reparlerons mercredi, et si vous avez besoin de quelque chose, faites-le moi savoir'', dit Joe Mode.

Et il s'en alla, pensant que Mme Estello réagirait sûrement à ce qu'il avait dit.

Pourtant, deux jours plus tard, Mme Estello faisait toujours toutes sortes de bourdes. Le lundi, par exemple, un paquet de giralitons arriva au Service O alors qu'en réalité il leur fallait un panier de girostators, tout cela parce que Mme Estello avait frappé le mauvais code et ne s'était jamais relue.

A peu près tout ce qui sortait de ses mains devait être refait et le mercredi, sa performance s'était plutôt dégradée qu'améliorée. Les autres membres du service venaient voir Joe pour se plaindre.

Joe retourna parler à Mme Estello.

"A votre avis, pourquoi faites-vous autant d'erreurs ?'' demanda-t-il.

"Je ne sais pas'', dit-elle.

"Comment pourriez-vous vous améliorer ?''

"Je ne sais pas.''

"Aucune idée ne vous est venue sur ce dont nous avons parlé ?'' demanda Joe.

"Pas encore. Je n'ai pas eu le temps'', dit Mme Estello.

Après son travail, Joe raconta à sa femme, Flo Mode, ce qui s'était passé.

"Il n'y a rien à en tirer ! Elle ne comprendra jamais ! Même en un milliard d'années'' dit Joe à Flo.

"Peut-être que tu lui en demandes trop et trop vite, à Mme Estello", suggéra Flo.

"Mais elle retarde tout le service", cria Joe. "Je devrais la faire renvoyer !"

"Allons, allons" dit Flo. "Vas donc faire un tour dans le jardin, calme-toi, et vois ce que font les enfants."

Joe se dit que c'était une bonne idée. Lorsqu'il fut dehors, il trouva leur jeune fils Maurice et leur fille Bo en train d'apprendre à jouer au baseball. Il observa le petit Mau Mode qui frappait dans le vide et ratait la balle que sa sœur lui lançait.

A son quatrième essai infructueux, le petit Mau se retourna et dit : "Papa, je ne peux pas !"

"Mais si, tu peux" dit Joe.

"Mais je ne sais pas comment !"

Joe descendit donc du perron et travailla avec le petit Mau.

D'abord, Joe parla avec lui pour s'assurer qu'il avait compris l'objet du jeu. Puis ils parlèrent des détails importants : comment Mau devait garder les yeux sur la balle, quand frapper et quand ne pas frapper et comment tenir la batte pour mieux la contrôler.

Puis Joe lui dit : "Maintenant regarde-moi bien." Et il prit la batte pour montrer au petit Mau comment il fallait faire.

Il tendit ensuite la batte au petit Mau et lui dit : "Voilà, à ton tour maintenant, essaye."

Ce que fit le petit Mau. La balle traversa le jardin, le petit Mau fit tournoyer la batte… et il manqua son coup.

Mais, en bon papa, Joe ne le gronda pas. Il lui dit seulement : "Le geste est bon ! Essaye encore, maintenant.

Tu vas saisir le truc. Souviens-toi, ne quitte pas la balle des yeux.''

Ensuite, il entraîna encore le petit Mau, encore et encore.

Finalement -- CRACK ! -- Le petit Mau comprit et envoya la balle comme une fusée par-dessus la haie du fond.

''Tu vois, tu es doué !'' cria Joe pendant que son fils courait vers la brique qui représentait la première base.

Mais, bien sûr, le petit Mau n'était pas un joueur de baseball-né ; il avait réussi parce que son père avait pris le temps de le conseiller et parce qu'il s'était entraîné. Et alors qu'il regardait avec fierté le petit Mau faire le tour des bases, il se rendit compte tout d'un coup que c'était cela qu'il devait faire avec Mme Estello.

Il fallait qu'il soit un conseiller.

De même qu'il ne dirait jamais à ses enfants : ''Si tu ne frappes pas dans la balle du premier coup, tu ne fais plus partie de la famille, et je te mets dans un orphelinat'', il n'était pas juste de sa part de trop en demander à Mme Estello sans l'aider à se mettre au niveau de ses attentes à lui.

Le lendemain, il alla voir Mme Estello et lui dit : ''Mme Estello, nous allons travailler tous les deux ensemble sur ce problème. Peut-être que si nous associons nos cerveaux nous pourrons le résoudre. Commençons donc par parler de ce que nous voulons réussir à faire...''

Peu à peu, Joe Mode découvrit qu'il existait sept étapes de base pour être un bon conseiller sur le terrain.

Il fallait d'abord qu'il établisse quelle était la finalité d'ensemble de la tâche et pourquoi elle était importante.

Il fallait ensuite qu'il explique le processus à utiliser.

Puis il fallait qu'il montre comment accomplir la tâche, ou qu'il fasse venir quelqu'un pour une démonstration.

Joe devait ensuite observer la personne pratiquer le processus.

Il fallait qu'il donne en retour des informations immédiates et bien précises, qu'il conseille encore ou qu'il renforce la réussite.

Joe devait exprimer sa confiance dans les capacités de la personne.

Et finalement, ils devaient se mettre d'accord sur les façons d'assurer le suivi.

Le Bloc-Notes de Joe Mode

Pour obtenir le maximum de Zapp, beaucoup de gens ont besoin qu'on les conseille sur la manière d'accomplir le travail

Etapes pour conseiller :

1. Expliquez le but et l'importance de ce que vous voulez faire comprendre.

2. Expliquez le processus à utiliser.

3. Montrez comment faire.

4. Observez comment la personne met en pratique.

5. Donnez un feedback immédiat et spécifique (conseillez encore ou renforcez la réussite).

6. Exprimez votre confiance dans la capacité de la personne à réussir.

7. Mettez-vous d'accord sur le suivi.

Par le conseil, Joe essaya d'empêcher Mme Estello de faire des erreurs dès le départ. Lorsqu'une nouvelle tâche lui était assignée, il la conseillait de façon à ce qu'elle la fasse correctement *dès le début*. Joe découvrit que Mme Estello apprenait beaucoup plus vite quand il la conseillait avant qu'elle ne commence plutôt qu'après qu'elle eut fait des erreurs. Mme Estello n'avait ainsi jamais l'occasion de prendre de mauvaises habitudes ou d'être frustrée par les erreurs qu'elle faisait. Le fait de conseiller rendait les nouveaux projets passionnants et stimulants.

Zapp !

Le Bloc-Notes de Joe Mode

Les gens apprennent plus vite par les succès que par les échecs.

Il fallut encore du temps pour que Mme Estello s'améliore, mais elle réussit. (Entretemps, Joe demanda à tous ceux qui avaient affaire à elle de s'arranger pour alléger sa charge, ce qu'ils firent).

L'un des problèmes était que les informations qu'elle traitait n'avaient aucune signification pour elle. Qu'était donc un giraliton par rapport à un gyrostator pour Mme Estello ? Elle ne savait pas que pour le Service O cela changeait beaucoup de choses si on leur envoyait l'un à la place de l'autre.

Joe l'emmena hors de son poste de travail et lui expliqua l'alpha et l'omega. Ensuite, il la conduisit au Service O pour la présenter aux employés afin qu'elle puisse établir la relation entre ce qu'ils faisaient et ce qu'elle faisait. Petit à petit, Joe Mode élargit l'univers de Mme Estello.

Zapp !

Le Bloc-Notes de Joe Mode

En apprendre plus sur votre travail stimule votre Zapp !

Si Mme Estello faisait quelque chose de travers, Joe essayait que ce soit les mesures qui le lui disent. A chaque fois que Mme Estello faisait bien quelque chose, Joe ne manquait pas de le lui dire. Il lui disait pourquoi c'était bien et il lui parlait de ce qu'elle devait faire pour *continuer* à faire bien.

Zapp !

Cependant, ce n'était pas une promenade de santé pour Mme Estello. De temps en temps, elle en voulait à Joe de lui faire faire des choses qu'elle ne voulait pas faire. Ou bien elle se mettait sur la défensive au sujet de sa performance. Ou elle se mettait en tête que Joe la manipulait, et sa confiance en lui s'affaiblissait. Et alors elle retombait dans ses vieux démons.

Lorsque cela se produisait, Joe Mode s'appuyait sur les principes-clés qu'il avait appris pour la remettre à nouveau sur le bon chemin. Il y arrivait en maintenant son estime de soi, en écoutant et en répondant avec empathie, en lui demandant son aide pour trouver des solutions au problème, et en lui offrant son aide sans lui enlever la responsabilité.

Et à coup sûr, Mme Estello commençait à s'améliorer à nouveau.

Zapp !

Le Bloc-Notes de Joe Mode

Utiliser les Principes Clés pour surmonter les
blocages et les dérapages.

**Performance
améliorée**

Défiance

**Utiliser les
Principes-clés**

Colère

**Utiliser les
Principes-clés**

Défensive

**Utiliser les
Principes-clés**

**Performance
actuelle**

Joe lui procura une formation pour qu'elle puisse repérer ses problèmes, les analyser et trouver les solutions.

Zapp !

Alors Mme Estello réclama *elle-même* une formation pour apprendre à mieux utiliser l'ordinateur.

Zapp !

Grâce à cela, elle apprit comment programmer son clavier pour pouvoir taper tout un paragraphe en frappant simplement sur une touche. Et elle demanda à Joe un programme pour contrôler son orthographe.

Zapp !

Ensuite, elle conçut la manière de taper un document tout entier à partir d'une douzaine de touches qui remplissaient automatiquement les espaces prévus.

Zapp !

Et bientôt, Mme Estello ne fut plus un cas désespéré. Elle faisait bien son travail.

Elle était un membre de l'équipe qui brillait à part entière.

21

Désormais, Joe pouvait voir non seulement que le service se transformait, mais que sa propre fonction se transformait également. Il n'était plus l'agent de maîtrise qu'il était auparavant.

Pendant des années, Joe Mode avait cru tout savoir sur ce qu'un agent de maîtrise devait savoir. Dans son esprit, il s'était considéré comme un sergent courageux de l'Armée et de l'Industrie.

Pour être un bon sergent, il était censé :

Suivre les ordres venus d'en-haut,

Prendre toutes les décisions pour sa "section",

Surveiller tout le monde de près,

Se montrer dur et distant,

Hurler ses ordres aux gens, et

Crier après ceux qui faisaient une erreur.

Cela n'avait-il pas marché pour John Wayne dans tous ces films de guerre ? Et pourtant cela ne marchait plus, à supposer que cela ait jamais marché, au Service N. Il manquait quelque chose depuis longtemps.

Ce qu'il avait appris c'est que sa fonction requérait de lui qu'il se comportât moins en sergent impitoyable et plus en bon père de famille. Lorsque Joe avait grandi, ses parents l'avaient aidé à passer de l'état de petit garçon sans défense à celui de membre responsable de la famille. Ils avaient doucement impliqué le petit Joe et ses frères et sœurs dans la marche de la maisonnée. Ils leur avaient donné en grandissant de plus en plus de responsabilités et de pouvoir de décision.

Naturellement, Joe savait bien que ses employés étaient des adultes et non des enfants, mais les mêmes idées -- croissance, implication, liberté croissante avec responsabilité croissante -- s'appliquaient encore aux adultes d'une compagnie.

Sa fonction ne consistait plus à régenter le personnel. Elle consistait à fournir aux gens ce dont ils avaient besoin pour grandir dans leur travail et pour réussir.

De quoi avaient besoin les gens Zappés ?

D'abord, ils avaient besoin *de directions*. C'était la fonction de Joe de faire que les gens travaillent à ce qu'il fallait. Pour cela, il définissait les Domaines-clés de Résultat, les objectifs et les mesures.

Deuxièmement, ils avaient besoin de différentes sortes de *connaissances*. Ils avaient besoin de compétences professionnelles, de formation technique, de renseignements, de données, d'un bon sens de la compréhension, de savoir-faire, etc...

Troisièmement, ils avaient besoin que la compagnie leur donne les *moyens* adéquats -- outils, matériaux, installations, temps et argent.

Quatrièmement, ils avaient besoin du *suivi* de Joe --
approbation, autorisation, encouragement, conseil, feedback, consolidation et considération.

Au lieu d'essayer d'être le "héros" solitaire, Joe Mode
-- comme Lucy Storm -- fournissait aux gens tout ce qu'il
leur fallait pour que chacun d'eux pût être le "héros." Il
leur donnait tout ce qu'il fallait pour qu'ils donnent *en
retour* le meilleur d'eux-mêmes.

Le Bloc-Notes de Joe Mode

Pour que le Zapp marche, les gens ont besoin :

- **De direction** (Domaines-clé de Résultat,
  objectifs, mesures)

- **De connaissances** (compétences, formation,
  renseignements, objectifs)

- **De moyens** (outils, matériaux, installations,
  argent)

- **De suivi** (approbation, conseil, feedback,
  encouragement)

Tout cela plaisait bien à Joe Mode. Il préférait sa fonction vue sous cet angle, et les gens semblaient mieux aimer
leur travail. Cependant quelque chose le chiffonnait.

Un soir, il dit à Flo : "Tu sais, je ne me sens plus agent de maîtrise. Le titre ne convient pas. Je ne supervise pas les gens."

"Alors en quoi consiste donc ta nouvelle fonction ?" demanda Flo Mode.

"Eh bien, j'indique dans quelle direction nous devons aller, et je les guide pour qu'ils y parviennent par eux-mêmes, mais sans qu'il y en ait un qui s'écarte trop de la route, afin que nous arrivions là-bas tous ensemble", dit Joe.

"Pour moi", dit Flo, "on dirait la fonction de lea-der. Tu supervises moins que tu ne diriges un groupe."

"*Diriger le groupe*" pensa Joe, "plutôt que supervi-ser le groupe."

Il se cala dans son fauteuil et essaya d'imaginer son nom accolé à un nouveau titre.

Joe Mode
Leader de Groupe

"Hum, songea-t-il. "Ça me plaît plutôt bien."
Et le Zapp grandit.

Un après-midi, Joe traversa le Service N. Il passa devant Marty, qui lui parla d'un problème qu'il avait repéré, mais qui n'en était plus un -- parce que lui, Marty, l'avait déjà résolu tout seul.

Au bout de l'allée centrale se tenait Luis, qui avait rassemblé un groupe pour trouver le moyen de réduire encore les défauts d'un dixième de un pour cent, puisque 99,99 pour cent de ce qu'ils produisaient était sans défaut.

Puis Becky passa, en route pour le Service O. Ils étaient livrés maintenant avec une marge d'erreur réduite à cinq minutes, et le Service O recevait presque toujours ce dont il avait besoin.

Dan et Dirk partaient déjeuner. Ils avaient travaillé pendant la pause-repas de Normale pour terminer une commande spéciale urgente.

Sans oublier Mme Estello, en pleine maîtrise de son ordinateur, le faisant fonctionner aussi vite que faire se peut, et s'amusant plus que durant toutes les 49 années mises ensemble qu'elle avait passées à la Compagnie Normale.

Joe Mode regarda autour de lui, étonné. Ces gens se conduisaient tous en propriétaires de leur travail, et ils en étaient fiers. Les choses n'étaient pas parfaites, et ne le seraient sans doute jamais. Mais cela allait beaucoup mieux. Ils savaient qui ils étaient, et cela leur plaisait, et ils savaient qu'il y avait quelqu'un à leur tête.

Enfin, Joe retourna à l'endroit où Ralph travaillait. Mais Ralph n'y était pas. Il y avait une note sur sa porte :

Parti pour la 12e
De Retour Bientôt

Cela faisait longtemps que Joe n'était pas allé voir à quoi tout cela ressemblait dans la 12ème Dimension. Il se doutait que les choses paraîtraient différentes de ce dont il se souvenait.

Ayant quelques minutes devant lui, Joe s'assit dans le fauteuil près du Ralpholateur. Depuis quelque temps, Ralph avait installé dans le Ralpholateur un logiciel commandé par un menu, et il fut facile à Joe de trouver les ordres à donner à la machine.

Il cliqua deux fois sur la souris. Il y eut une plainte aiguë, un éclair aveuglant, et Joe Mode disparut.

Quand il rouvrit les yeux, Joe vit le Service N baignant dans une lumière comme jamais il ne l'avait vu. Le brouillard s'était levé. En faisant le tour du Service, c'était comme si le soleil avait percé, sauf que le soleil était à l'intérieur des gens.

Dans les coins sombres, il y avait encore des œufs de dragon, et l'on ne pouvait rien faire pour l'instant pour les déloger. Mais Joe se souvint de ces murs de pierre, de verre et d'acier.

Eh bien, les murs de pierre étaient branlants et croulants. Les murs de verre s'étaient évanouis. Et le Zapp avait fait fondre les murs d'acier, formant des trous en forme de portes.

En regardant autour de lui, Joe Mode ne vit plus de Zombie, plus de momie, plus de géant sans tête.

Chaque membre du Service N grandissait pour devenir exactement ce qu'il était -- *un être humain.*

Joe était heureux de ce qu'il voyait.

Sauf qu'il ne trouvait Ralph nulle part et que Joe voulait absolument lui parler.

Il décida de vérifier si Ralph n'était pas au Service Z. Il quitta donc les lumières brillantes des éclairs du Service N et se fraya un chemin par les couloirs toujours embrumés du reste de la Compagnie Normale.

Il passa devant la mère dragon, qui semait la désolation dans le Service Comptabilité de Normale, et qui, curieusement, paraissait légèrement plus petite que la dernière fois qu'il l'avait vue.

Il passa devant d'autres œufs de dragon, des nuées de zombies, et bien d'autres étranges visions. Enfin, il arriva au Service Z.

A sa grande satisfaction, il vit que le Zapp de son propre Service N était maintenant à peu près le même que celui du Service Z.

Mais où était Ralph ? Pas dans le Service Z. Joe retourna dans le brouillard pour essayer encore dans quelques autres endroits, mais Ralph n'était dans aucun de ses repaires habituels.

Ses recherches amenèrent Joe à pousser de plus en plus loin à travers le brouillard. Il abandonna bientôt et essaya de rentrer, mais Joe Mode se rendit compte qu'il était perdu.

Il erra au hasard pendant un moment. Il se retrouva en train de descendre un escalier en colimaçon, traversa une cour, jusqu'à une grande arcade encadrée de deux immenses grilles où se tenait un vigile qui s'ennuyait, appuyé sur sa lance de la 12ème Dimension.

De l'autre côté de l'arcade, Joe Mode se rendit compte qu'il était *dehors*. En fait il se tenait debout sur les planches de ce qu'il réalisa être un pont-levis. Lorsque Joe se retourna pour voir à quoi, dans la 12ème Dimension, ressemblait l'immeuble de la Compagnie Normale, il vit une sorte de château.

Et là, debouts devant lui, du côté extérieur du fossé, se tenaient Ralph Rosco et Lucy Storm.

"Salut Joe", dit Ralph.

"Plutôt sauvage, n'est-ce pas ?" dit Lucy.

"Que faites-vous là tous les deux ?" demanda Joe.

"Ralph m'a fait faire un tour", dit Lucy.

"En fait, nous vous observons depuis un moment. J'ai même noté quelques bons tuyaux."

"C'est vrai ?" demanda Joe.

"Je pense qu'il est temps que nous échangions nos impressions, ne croyez-vous pas ?" demanda Lucy Storm.

Et c'est ce qu'ils firent.

Troisième Partie

Un Zapp ! survolté

22

Comme les experts en la matière s'accordent maintenant à le dire, on peut entrer dans la 12ème Dimension de deux manières. La première est de s'assoir dans un fauteuil tournant branché sur le Ralpholateur de Ralph Rosco. La seconde est de se cogner accidentellement à quelqu'un qui se trouve déjà *dans* la 12ème Dimension.

Et c'est ce qu'avait fait Lucy Storm.

Ralph se trouvait (invisible, bien entendu) dans la 12ème Dimension, son Zappomètre à la main, déambulant à la recherche d'un nouveau type d'éclair qu'il venait de remarquer.

Lucy se précipitait vers son bureau pour prendre un appel téléphonique... lorsque Zapp ! -- elle le percuta, fut attirée dans son champ, et disparut du monde normal à trois dimensions.

Lorsque ses yeux accomodèrent, elle se retrouva au pays des éclairs et des visions étranges autant que brillantes. Et il y avait ce type qui disait : ''Oh, Salut ! Vous vous souvenez de moi ? Pour sûr, je suppose que vous voudriez bien savoir où vous êtes et ce qui se passe, n'est-ce pas ?''

"Oui, s'il vous plaît", dit Lucy, les mains posées sur son cœur qui battait fort.

Ralph se présenta donc à nouveau calmement et l'emmena faire le grand tour. C'est ce qu'ils faisaient lorsque Joe Mode apparut.

En fait, après avoir appris ce qui se passait, Lucy aurait très bien pu être vexée que Joe Mode ne soit pas venu la trouver pour lui parler de tout ça.

Mais elle était plus intéressée par cette façon nouvelle de regarder le monde, et plus fascinée encore par le pouvoir de Zapp.

"Pendant toutes ces années j'ai essayé de le créer, sans jamais savoir s'il existait réellement, dit-elle, ''et maintenant je peux vraiment le voir !''

"Mais que faites-vous donc ici ?'' demanda Joe Mode.

"Il m'est venu à l'esprit en faisant visiter Lucy'', dit Ralph, ''que je n'avais jamais vu la compagnie tout entière telle qu'elle apparaît dans la perspective de la 12ème Dimension. Nous sommes donc venus regarder.''

Et ils se tournèrent tous vers la grosse forme rocailleuse, austère et grise qui se trouvait derrière eux. En vérité, cela ressemblait moins à un énorme château qu'à un réseau de petits châteaux. Un labyrinthe de murs, de tours, de parapets. De petites forteresses jointes par des murs communs. Des remparts qui montaient et montaient vers le ciel, strate après strate, à l'instar d'une pyramide.

En réalité, cela ressemblait beaucoup à l'organigramme de Normale. Au centre, s'élevant au-dessus du niveau le plus élevé des plus hauts remparts, se trouvait la plus haute tour, où flottait le drapeau de la Compagnie Normale. Et là, dans un encorbellement en forme de balcon sur cette plus haute tour, se trouvait le président de la Compagnie Normale, M. Topp, qui buvait son café en lisant les derniers rapports mensuels.

"Mais où est le Service N ?" demanda Joe Mode qui voulait savoir (comme Lucy avant qu'il n'arrive) où se trouvait son service dans l'ordre des choses.

"Il est là-bas. Vous ne le voyez pas ?" dit Ralph en désignant une des petites tours des remparts extérieurs.

Joe aperçut finalement la tour que Ralph désignait. C'était, bien sûr, celle où on voyait des lueurs d'éclair derrière les fenêtres.

Puis Joe Mode remarqua que, à l'inverse des autres tours du château de la compagnie, qui avaient toutes des fenêtres étroites et rectangulaires, cette tour -- leur tour -- avait de petites fenêtres *rondes*.

Et des *ailerons*.

Elle avait aussi une forme plus lisse et plus élancée que les autres tours.

Cette tour paraissait en quelque sorte beaucoup plus *fluide*.

Comme Joe balayait du regard le spectacle qui s'offrait à lui, là-bas, sur le flanc le plus éloigné des remparts extérieurs, il vit une autre tour, elle aussi avec des ailerons et de petites fenêtres rondes derrière lesquelles zigzaguait et brillait l'éclair de Zapp !

C'était bien sûr le Service Z.

Quoi que fussent ces nouvelles tours, elles étaient différentes des autres. Il se passait quelque chose d'extraordinaire.

Joe pouvait voir qu'elle n'étaient plus des formes en pierre bien définies, mais des formes qui se transformaient, qui évoluaient vers quelque chose de nouveau.

23

Eh bien, ils trouvaient tous très intéressant de regarder ainsi la Compagnie, mais il était l'heure de retourner au travail. Ils s'en revinrent donc tous trois au monde normal de Normale. En se quittant, ils se promirent à maintes reprises de parler souvent ensemble et de garder le contact.

Mais ces promesses ne furent jamais tenues.

Dans les jours qui suivirent, ils furent beaucoup trop occupés dans leurs propres services.

Lucy Storm vint bien une ou deux fois au Service N pour demander à se servir du Ralpholateur afin de faire elle-même ses propres explorations.

Et puis plein de monde parut venir du Service Z pour faire le voyage dans la 12ème Dimension. Pas simplement des personnes seules, mais des groupes entiers.

Cela mettait Joe de mauvaise humeur. Ces groupes qui allaient et venaient étaient quelque peu perturbants et faisaient perdre du temps à Ralph.

Mais c'était une irritation sans importance. Joe Mode avait un tas d'autres choses à s'occuper. Sa tâche principale consistait à ce que tout le monde demeurât Zappé.

Un après-midi, en retournant chez lui, Joe finit pas admettre quelque chose qu'il ne voulait pas vraiment s'avouer.

Au fil du temps, il trouvait de plus en plus difficile, pas plus facile de faire que les gens demeurent Zappés.

Il se servait de tout ce qu'il connaissait déjà, mais il n'arrivait pas à obtenir l'amélioration quantique de l'implication et de la performance qu'il avait obtenue précédemment. Bien que Zappant de son mieux, il découvrit même que le niveau général d'éclair diminuait un tout petit peu. Et il le savait sans qu'il fut besoin que Ralph lui donnât les mesures précises.

"Que puis-je faire d'autre ?" se demanda Joe Mode en rentrant chez lui en voiture. Puis il haussa les épaules et dit : "Eh bien, nous avons peut-être atteint la limite. On ne peut peut-être pas aller plus loin."

Environ une semaine plus tard, Ralph entra dans le bureau de Joe avec un exemplaire des *Nouvelles de Normale,* le journal de la compagnie, et lui dit : "Dites Joe, vous avez vu ça ?"

Sur la première page, on pouvait lire l'histoire suivante :

LE SERVICE Z OUVRE LA VOIE A UN NOUVEAU SECTEUR D'ACTIVITÉ RÉMUNÉRATEUR POUR NORMALE

Marie-Hélène Krabofski, Vice-Présidente de Normale, a félicité Lucy Storm et un groupe d'employés du Service Z qui se sont intitulés "L'Équipe Diamant" pour avoir mis en œuvre ce que l'on pense bien être un nouveau secteur d'activité très rentable pour la Compagnie Normale.

"C'est à l'équipe que revient tout le mérite", a dit Mme Storm. "Leur travail acharné, leur enthousiasme et leur créativité nous ont permis de mettre en œuvre de nouvelles façons de venir à bout des abîmes insondables que nous avons trouvées sur notre route et de faire démarrer cette nouvelle activité."

"Une activité entièrement nouvelle ? Que se passe-t-il donc là-bas ?" demanda Joe Mode.

"Je ne sais pas" dit Ralph. "Je pensais que nous en savions autant qu'eux, je ne suis donc pas allé y voir récemment."

"Activez donc votre engin et allons voir ce qu'ils font" dit Joe.

Lorsqu'ils arrivèrent au Service Z, tout à première vue paraissait comme à l'habitude. Lucy allait et venait sous son chapeau de magicien, et les miracles usuels se produisaient. C'est alors que Ralph se mit à recevoir une réaction très forte sur son Zappomètre.

"Regardez-ça, Joe. Le Service Z fonctionne à 100 éclairs à l'heure !" dit Ralph. "Le mieux que nous ayons jamais fait est 75."

"Comment est-ce possible ?" demanda Joe Mode. "Nous étions à égalité il y a peu de temps."

"Que dire ?" fit Ralph. "Le Zappomètre ne ment pas."

Ralph vit alors cet étrange et nouveau type d'éclair qu'il avait remarqué le jour où Lucy Storm lui était rentrée dedans. Il venait d'un groupe qui travaillait de l'autre côté de l'abîme sans fond.

Joe et Ralph s'approchèrent du nouvel éclair et, ce faisant, le Zappomètre dépassa toutes les limites.

Mais ils n'avaient pas besoin d'instrument pour savoir qu'ils voyaient quelque chose de différent du Zapp qu'ils étaient habitués à voir.

Parce que celui-ci était un éclair en forme de *roue*.

Il y avait l'Équipe Diamant qui travaillait sur la montagne sertie de pierres précieuses. La montgolfière, dont il s'étaient servis au début pour traverser l'abîme, pendait mollement sur le bord d'un rocher, jetée de l'autre côté et se balançant au gré de la brise de la 12ème Dimension. L'équipe avait maintenant construit un pont au-dessus de l'abîme.

Cette roue de Zapp tournait et tournait entre eux, dans les deux sens en même temps, et d'avant en arrière survolant tout le diamètre du groupe pendant que celui-ci travaillait.

Le type de Zapp que Ralph et Joe avaient l'habitude de voir dans la 12ème Dimension était essentiellement le type simple et linéaire ; c'est-à-dire qu'il partait de la personne responsable vers la personne *travaillant* pour la personne responsable -- de Joe à Ralph, ou de Joe à Mme Estello. Il ne tournait pas en rond, allant d'une personne à l'autre et encore à l'autre, ni d'avant en arrière parmi le groupe.

Mais ce Zapp le faisait.

"Qu'est-ce que c'est donc ?" demanda Joe Mode.

"Bon sang, je ne sais pas", dit Ralph. "Ça doit être à cause de l'équipe dont on parle dans *Les Nouvelles de Normale*."

"Qu'est-ce qu'un groupe de travail peut bien avoir de Zappant ?" se demanda Joe Mode. "On a déjà essayé ça."

"Ce que je veux savoir", dit Ralph, "c'est : qu'est-ce qui le fait se produire ? Lucy est loin d'ici. Elle n'est pas là pour faire le Zappage."

Et il y avait aussi dans ce type de Zapp une autre chose inhabituelle. Il semblait ne pas avoir une source unique, mais il était au contraire engendré par le groupe lui-même.

Joe Mode, en observant la roue de Zapp, comprit qu'il restait encore beaucoup à apprendre sur le Zapp. L'étape suivante était-elle donc de Zapper les gens en équipes ?

Il ne devrait pas être trop difficile de mettre des équipes sur pied, raisonna Joe. Ce soir-là, il parcourut la liste des employés du Service N et les divisa en équipes. Le lendemain, il vint dire à chacun dans quelle équipe il était. Il demanda ensuite à Ralph de surveiller de près ce qui se passait.

Quelques jours plus tard, Ralph vint annoncer que le décompte de Zapp avait augmenté. Il atteignait maintenant 76 par heure au lieu de 75.

"C'est tout ?" dit Joe Mode. "Bon, Ralph, j'aimerais que vous m'aidiez à trouver ce qui ne va pas dans nos équipes."

Après quelques recherches, Ralph détermina que les équipes n'étaient pas vraiment des équipes. Le Zapp continuait à passer de Joe Mode à chaque personne, plutôt qu'entre et parmi les membres du groupe.

"Vous avez beau les appeler des équipes", dit Ralph, "leurs membres ne se sentent pas pour autant plus impliqués que s'ils étaient juste un groupe d'hommes et de femmes travaillant côte à côte. Ils n'ont d'équipe que le nom."

"Comment se fait-il alors que les équipes du Service Z fabriquent du Zapp et pas les nôtres ?" se demanda Joe à voix haute.

Le téléphone sonna.

"Parce que les nôtres ne sont pas des équipes normales", dit Lucy Storm lorsque Joe décrocha. "Nos équipes sont Zappées."

"Il n'est tout simplement pas aussi productif d'avoir un groupe de personnes Zappées individuellement que de Zapper l'équipe en bloc", continua Lucy Storm, qui parlait par le Ral-phone.

"Où êtes-vous ?" demanda Joe Mode.

"Je suis dans la 12ème. Je vérifiais juste ma propre performance quand je vous ai vu essayer d'utiliser les équipes de travail sans beaucoup de succès", dit-elle. "Vous savez, il faudrait que nous discutions plus souvent ensemble."

"Vous avez raison. Nous devrions le faire", acquiesça Joe.

"Vous voyez Joe, il est difficile de développer à l'infini le Zapp au niveau individuel", ajouta-t-elle. "Il y a des limites à ce que l'on peut faire pour Zapper une personne."

"Mais j'ai mis sur pied des équipes et je me suis donné du mal pour pas grand'chose", dit Joe.

"Nos équipes sont différentes" dit-elle. "Ce sont, eh bien, faute d'un meilleur terme, ce sont des *Équipes Zapp*."

"Et en quoi les Equipes Zapp sont-elles différentes ?" demanda Joe.

"Elles sont semi-autonomes" dit Lucy.

"Elles sont quoi ?"

"*Semi-autonomes*. En gros, cela signifie que c'est encore moi qui montre la direction, qui évalue la performance et qui aide l'équipe lorsqu'elle n'y arrive pas toute seule. Mais en dehors de cela, l'équipe apprend à se gérer toute seule."

Une Equipe Zapp, expliqua-t-elle, devient semi-autonome avec le temps, travaillant graduellement sous de moins en moins de supervision. Une fois qu'elle a reçu sa mission, l'équipe devient très largement indépendante et prend en charge les responsabilités pour atteindre ses objectifs.

"Aha" dit Joe Mode, qui, après avoir entendu ces paroles, comprit que les Equipes Zapp étaient le prolongement du chemin-même qu'ils avaient suivi -- celui qui s'éloignait de Sapp pour aller vers un Zapp de plus en plus élevé !

Après que Lucy et lui eurent raccrochés, Joe se mit au travail.

D'abord, il demanda l'aide des ouvriers afin qu'ils mettent eux-mêmes les équipes sur pied au lieu que ce soit lui qui essaye de leur imposer son arrangement.

Zapp !

Les équipes qu'ils créerent furent formées à partir des fonctions de base et des domaines de responsabilité du Secteur N. Une fois qu'elles furent constituées, Joe Mode, en tant que leader de l'ensemble du service, travailla avec chaque équipe afin de définir sa mission. Et chaque personne de l'équipe avait un rôle à jouer dans l'accomplissement de cette mission.

Zapp !

Joe s'assura que chacun avait compris comment la mission de chaque équipe s'insérait dans la mission globale du service et, au-delà de toute la compagnie Normale.

Zapp !

Il s'assura que chaque équipe avait sa propre batterie de Domaines-clés de Résultat, de mesures et d'objectifs, et que les membres de l'équipe avaient bien compris leur sens.

Zapp !

Enfin, Joe s'assura que chaque équipe avait son propre tableau d'affichage pour que le score indique comment elle s'en sortait.

Zapp !

A partir de là, lorsque Joe dut demander de l'aide pour résoudre un gros problème, il s'adressa à l'équipe. Quand il proposa son aide, il la proposa à l'équipe.

Zapp !

Jour après jour, le Zapp grandit dans les équipes. Elles s'animèrent. Elles engendrèrent un esprit bien à elles. Et le Zapp grandit chez tous les membres du Service N.

Le Bloc-Notes de Joe Mode

Quelques points à ne pas oublier au sujet des Equipes Zapp :

- Le fait de créer des équipes répand le Zapp dans un groupe.

- Une équipe Zappée est plus productive qu'un groupe d'individus Zappés.

- Plus l'équipe peut prendre de décisions, plus elle a de Zapp.

Chaque équipe avait un leader. A l'inverse de Joe, le leader de l'Equipe Zapp était issu des rangs des ouvriers, de l'équipe elle-même, et n'était pas parachuté de l'extérieur dans le groupe.

Le leader de l'équipe était toujours celui qui était l'un des plus Zappés du groupe, mais aussi l'un des plus Zappant envers les autres. Le rôle du leader était de coordonner la marche de l'équipe et d'aider Joe à bichonner le groupe tout au long de sa mission.

Joe Mode, bien entendu, demeurait le Leader de Groupe d'ensemble, ainsi qu'il avait désormais coutume de se considérer.

Parfois les membres de l'équipe n'arrivaient pas à s'en sortir tous seuls, et ils venaient voir Joe ou bien Joe devait intervenir. Mais graduellement, Joe découvrit que la plupart du temps ils pouvaient pratiquement tout régler tous seuls.

Ils programmaient leur propre travail.

Ils définissaient les priorités des projets sur lesquels ils devaient travailler en équipe.

Ils déterminaient qui devait faire quoi.

Les équipes organisaient même les vacances et les autres absences. Lorsque quelqu'un était porté malade, soit les membres de l'équipe se serraient les coudes pour faire eux-mêmes le travail, soit ils s'arrangeaient pour que quelqu'un d'extérieur au groupe vienne remplacer la personne absente.

En contrepartie de leurs efforts dans ce domaine, l'aide que Joe devait leur fournir prenait de nombreuses formes nouvelles.

Chaque Equipe Zapp avait besoin d'avoir du temps et d'avoir un endroit pour pouvoir discuter. Leur fournir l'endroit pour se rencontrer, même cela n'était pas facile. Et il était toujours ardu de trouver du temps libre au lieu de faire matériellement le travail.

Et puis Joe découvrit que, pour que les gens fonctionnent en tant que membres d'une équipe, il leur fallait certaines nouvelles compétences. Ils devaient apprendre de nouvelles compétences "Personnelles", comme interagir les uns avec les autres, régler les problèmes lorsque les égos et les personnalités se heurtaient, tenir des réunions efficaces, résoudre les problèmes en groupe, etc.

Joe trouva un programme de formation qui permettait d'acquérir ces compétences grâce à une série de sessions de trois heures. La programmation fut plutôt ardue, mais dès qu'il eut mis tout son monde en formation, l'amélioration fut immédiate.

Mais il leur fallait aussi de nouvelles compétences techniques. Afin d'être capables de partager les responsabilités, il leur fallait connaître le travail les uns des autres et il fallait qu'ils puissent *faire* le travail les uns des autres.

Une raison encore plus importante d'avoir une meilleure formation technique était de permettre aux Equipes Zapp d'améliorer la qualité et la productivité. Pour faire un biduliston parfait, il fallait que les gens constituant une équipe comprennent ce qui pouvait rendre les bidulistons imparfaits ; ce qui signifiait d'avoir une certaine compréhension de la technologie et de la physique concernées.

Et, bien entendu, le Service N s'équipait toujours de machines plus récentes et plus puissantes, ce qui signifiait que les équipes avaient besoin d'être formées à leur utilisation.

Au début, Joe Mode essaya de former tout le monde en même temps. Ceci se passa bien pour les compétences "Personnelles". Il était Zappant que chacun ait en commun avec les autres la même connaissance de la façon d'interagir et de la prise de décisions efficaces.

Mais bien souvent pour les compétences techniques, lorsqu'on déversait la même formation sur tout le monde d'un coup cela ne marchait pas.

Par exemple, il se trouvait que Joe connaissait le Contrôle Statistique Analytique (CSA) comme un remarquable instrument pour améliorer la qualité. Il reçut donc le feu vert pour former le Service N au CSA.

Tout le monde suivit bien consciencieusement les cours. Mais quand ils furent retournés à leur travail, la plupart d'entre eux n'eurent pas l'occasion d'utiliser le CSA tout de suite. Lorsqu'enfin arriva pour eux le moment de mettre en pratique ce qu'ils avaient appris, ils avaient oublié ce qu'ils devaient faire.

Bien des regards se détournèrent et bien des visages rougirent lorsque Joe Mode dut entreprendre la tâche plutôt embarrassante de former les gens à nouveau.

Après cela, Joe apprit à différer la formation jusqu'à ce qu'une personne ou une équipe se trouve devant une situation où ils avaient réellement *besoin* d'en savoir davantage... jusqu'au "moment propice pour apprendre", selon l'expression du Directeur de la Formation Interne de Normale. Les gens apprenaient alors plus vite, appliquaient plus efficacement ce qu'ils apprenaient, et s'en souvenaient mieux.

Joe Mode devait souvent aller demander à Marie-Hélène Krabofski les ressources nécessaires à ses équipes. Comme on ne peut pas dire que Marie-Hélène était le supérieur le plus réceptif du monde, il arrivait parfois qu'elle approuve ses demandes avec le sourire et une poignée de main ; il arrivait aussi qu'elle l'envoie promener purement et simplement.

Mais comme disait toujours le père de Joe Mode, "Quand on veut on peut". Et Joe voulait, et à chaque fois il trouvait le moyen d'obtenir ce dont ses équipes avaient besoin.

Le Bloc-Notes de Joe Mode

Quelques détails qui survoltent les Equipes Zapp :

- Que l'équipe ait son mot à dire sur sa propre composition.

- Donner une mission à l'équipe.

- Procurer le temps et l'endroit pour que l'équipe puisse se réunir.

- Fournir la formation technique ''au moment propice pour apprendre''.

- Fournir les compétences ''Personnelles'' pour interagir, résoudre les problèmes, prendre les décisions, et agir.

Ceux qui travaillaient dans les Equipes Zapp commencèrent à se trouver confrontés à de nouveaux types de décisions. Ils aidaient à décider qui travaillerait avec qui, qui ferait quoi, ce qu'il fallait faire, quand il fallait le faire, etc.

Leurs responsabilités s'élargissaient. Mais leurs responsabilités étaient aussi partagées par le groupe. Chacun avait des partenaires sur qui compter.

Ces nouvelles responsabilités n'étaient pas toutes totalement agréables. Il devint de la responsabilité de l'équipe que le travail soit terminé à temps et d'agir ensemble lorsque des problèmes surgissaient. Si quelqu'un tirait au flanc, cela voulait dire que tous les autres devaient travailler plus dur pour que le travail soit fait.

Et pour la plupart d'entre eux, ce genre de situation n'était pas si agréable que ça. Mais c'était plus que contrebalancé par de nombreuses choses que tout le monde aimait vraiment beaucoup.

Par exemple...

Ils aimaient avoir leur mot à dire.

Ils aimaient se mettre d'accord sur ce qu'il fallait faire plutôt que de s'entendre dire ce qu'ils avaient à faire.

Ils aimaient la diversité apportée par les échanges de tâches à l'intérieur de l'équipe et la souplesse offerte par la possibilité de s'arranger pour prendre une tâche facile les jours où ils se sentaient moins d'énergie et une tâche plus difficile lorsqu'ils s'ennuyaient et avaient une grande envie de plus de Zapp.

Ils aimaient ressentir la finalité de leur entreprise à travers la mission du groupe et en faisant partie du voyage vers l'objectif.

Ils aimaient tenir la corde.

Ils aimaient avoir la maîtrise des problèmes.

Ils aimaient travailler sans avoir personne sur le dos.

Ils aimaient partager les idées.

Ils aimaient partager la réussite de l'équipe.

Ils aimaient partager le pouvoir qu'avait l'équipe à faire avancer les choses.

Tout cela leur apportait beaucoup de satisfaction. Et c'est pourquoi les Equipes Zapp marchaient.

Le Bloc-Notes de Joe Mode

Les Equipes Zapp peuvent prendre de nombreuses responsabilités.

Elles peuvent, par exemple...

- Déterminer qui fait quoi.

- Traiter l'absentéisme et faire le nécessaire pour atteindre les résultats.

- Etre impliquées dans tous les aspects de leur travail.

- Choisir dans leurs rangs leur propre leader.

- Trouver les opportunités d'amélioration de la qualité et de la productivité (et les mettre en œuvre).

Quatrième Partie

La Compagnie Zappée

25

Vous voulez sans doute savoir maintenant à quoi tout cela ressemblait vu de la perspective sauvage et bizarre de la 12ème Dimension ?

C'était éblouissant.

Absolument é-blou-issant.

Avant les Equipes, chaque personne du Service N était une île rayonnante de Zapp. Maintenant les îles étaient reliées, et le flux de Zapp était devenu des roues, et les roues tournaient librement.

Ralph dut même modifier l'échelle de son Zappomètre pour mesurer les Equipes Zapp.

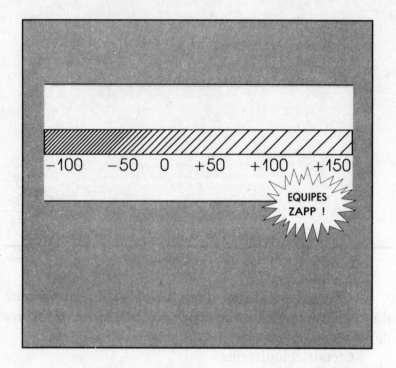

Mais vu de l'extérieur...

Eh bien, un jour, Joe, Lucy, et Ralph se trouvaient à l'extérieur, dans la 12ème Dimension ; ils regardaient le château Normale et l'effet des roues d'éclair provenant des Equipes Zapp.

En vérité, les tours du Service N et du Service Z ressemblaient moins que jamais à un château. On aurait même dit qu'elles essayaient de décoller.

"Vous savez", dit Joe Mode, "On dirait que... eh bien, on dirait qu'elles peuvent tout faire."

"Elles ressemblent à des vaisseaux spatiaux, Joe" dit Ralph.

"Des vaisseaux spatiaux ?"

"Tout à fait, prêts à décoller en mission".

En fait, elles avaient peut-être bien tout ce qu'il fallait pour faire une paire de vaisseaux spatiaux de la 12ème Dimension, mais ces véhicules étonnants étaient retenus au sol, bien ancrés à la lourde masse grise du reste du château Normale, empêchées de faire ce dont elles étaient capables.

Cependant, voilà qui semblait être un nouveau défi bien approprié -- trouver le moyen de faire voler les vaisseaux spatiaux.

Pour cela, ils auraient besoin de tout le Zapp possible. Mais Ralph (comme tous les autres) avait remarqué qu'à chaque fois qu'une roue de Zapp tournait au plus vite et brillait le plus fort, une source de Sapp venait l'obscurcir et la ralentir.

Certains de ces Sapps étaient très GRANDS.

Assez grands pour amener les roues pratiquement à l'arrêt.

Par exemple...

Un matin, Hugh Galahad (qui portait un Costume trois pièces tout à fait normal à la place de son armure brillante de la 12ème Dimension) arriva au Service N avec des techniciens pour annoncer qu'un ensemble d'équipements totalement nouveau allait être installé.

Et Hugh, sans rien expliquer à personne, mit les techniciens de Normale au travail. En quelques heures, le Service N eut un nouveau système informatique dont personne ne savait rien.

"Qu'est-ce qui rend cet équipement meilleur que celui que nous avions avant ?" demanda Becky.

Eh bien Galahad ne lui répondit même pas. Mais l'un des technicien finit par lui dire : "C'est très technique", dit-il, "Vous ne pouvez pas comprendre. Tout ce que vous avez besoin de savoir c'est qu'il faut appuyer sur le bouton bleu quand la lampe verte s'allume. Si la lampe rouge s'allume, appelez-nous. Nous nous occuperons de tout''.

Sapp ¡

Ce même jour, un peu plus tard, au Service Z, Lucy Storm qui revenait de déjeuner fut accueillie par un homme en blouse blanche.

"Bonjour. Je suis K.D. Roussel, A.H.A.H.O.U.I." dit-il.

Ils se serrèrent la main.

"Dites-moi, que veut dire A.H.A.H.O.U.I. ?'', demanda Lucy.

"Analyste Horodateur Accrédité sur l'Honneur en Organisation d'Usine Interprofessionnelle" dit Roussel.

"Eh bien, Monsieur K.D. Roussel, que puis-je pour vous ?"

Je viens faire une étude des temps afin de pouvoir améliorer le rendement'', dit K.D. Roussel en brandissant son chronomètre.

Sachant comment Normale faisait ses études des temps, Lucy sut que cela serait un Sapp pour le Service. Elle essaya d'expliquer ce qu'étaient les équipes et comment il fallait impliquer les gens. Elle savait qu'un Analyste Horodateur pouvait faire son travail de façon Zappante. Mais K.D. Roussel était attaché à ses méthodes, et ses ordres venaient d'en haut. Il se mit au travail sans que Lucy ne puisse rien y faire.

K.D. Roussel traitait les ouvriers objectivement. C'est-à-dire comme des objets. Il se tenait là, avec son chronomètre, il enregistrait les mesures, et n'impliquait pas la personne qui accomplissait la tâche. Plus tard K.D. Roussel fit part aux ouvriers du fruit de son étude scientifique.

"Voilà, ne vous tournez pas comme ceci" dit K.D. Roussel, A.H.A.H.O.U.I., "tournez-vous toujours comme cela. Et ne vous penchez pas par ici, penchez-vous par là".

Sapp ¡

Et puis il y avait le management.

Marie-hélène Krabofski n'avait pas eu un instant de tranquillité depuis des mois.

Voyez-vous, c'est maintenant que les œufs de la mère dragon commençaient à éclore. Et la première chose que firent ces bébés dragons ce fut de se gaver de tout ce qui pouvait alimenter le feu de leur souffle.

Ce n'était pas vraiment un problème pour les Equipes Zapp. Contre le Zapp uni d'une équipe, les dragons n'avaient pas la moindre chance. Les Equipes Zapp, en travaillant constamment à améliorer la qualité et la performance d'ensemble ne leur donnaient aucun aliment. Et les dragons ne pouvaient pas grandir.

Mais dans certains autres services, c'était une autre histoire. Certains de ces bébés dragons devenaient très rapidement très grands.

C'est pourquoi Marie-Hélène n'avait pas de repos. Elle était toujours derrière le volant du camion de pompier des cadres. Avec tous ces petits incendies allumés par les bébés dragons et qui se déclaraient partout, elle fonçait de l'un à l'autre en se demandant pourquoi personne n'était capable de régler les problèmes comme elle.

A la fin, elle en eut assez. Elle alla tout droit voir M. Topp et le Comité de Direction ; elle leur dressa un tableau qui montrait qu'elle avait un besoin impérieux de plus de personnel.

Après s'être éclairci la gorge de nombreuses fois et avoir échangé des regards avec le reste du Comité, M. Topp sorti son stylo à contrecœur et signa l'autorisation.

A l'extérieur, dans la 12ème Dimension, une nouvelle strate de remparts s'éleva sur le château.

La plus haute tour devint encore plus haute et le château plus lourd. Mais malheureusement, les autres tours dessous se retrouvèrent occultées.

Joe Mode était en chemin pour parler à Marie-Hélène Krabofski des choses dont le Service N avait besoin, lorsqu'il fut arrêté par un homme qui se tenait dans l'antichambre de son bureau.

"Bonjour, je suis Tom Tampon, le nouvel adjoint de la Vice-Présidente", dit-il, "Si vous avez besoin de quoi que ce soit, à partir de dorénavant, c'est à moi que vous devrez vous adresser."

Joe Mode fit sa demande et Tom lui dit : "Hum. Bon, je ne peux pas vous donner le feu vert là-dessus tout de suite. Il faudra que j'en parle à Marie-Hélène la prochaine fois que je la verrai et, bien entendu, il faudra que nous voyions cela avec le nouveau sous-adjoint principal de la Vice-Présidente et le nouveau comité d'intervention. Revenez me voir dans trois ou quatre semaines et peut-être que d'ici là nous aurons pu en parler."

"Trois ou quatre semaines ?" demanda Joe Mode.

"Semaines ? Ai-je dit *semaines* ? Oh, excusez-moi, je voulais dire trois ou quatre *mois*.

Sapp ¡

En bas, au Service C, qui avait affaire toute la journée aux clients de Normale, il n'était pas rare d'être confronté à un acheteur de normalateur qui avait un problème particulier ou dont il fallait s'occuper plus qu'un autre. Et pourtant, la politique de la Compagnie Normale mettait pratiquement les membres du Service C dans l'incapacité de prendre soin des besoins des consommateurs.

Un après-midi typique, une cliente entra, s'assit avec un responsable du service après-vente de Normale et lui dit : "j'ai des problèmes avec le normalateur que j'ai acheté il y a deux mois. Il fait un bruit comme si des enfants grattaient leurs ongles sur un tableau noir, il vibre tellement qu'il se déplace en cahotant sur le sol, et il émet une odeur épouvantable."

"Ça alors", dit le responsable de l'après-vente du Service C, qui n'avait pratiquement reçu aucune formation sur les normalateurs ou sur les clients", je ne sais pas quoi vous dire. Il est peut-être conçu comme ça."

"Je ne le pense pas", dit la cliente.

"Bon, je vais voir si je peux trouver ça dans le manuel d'instructions", dit le responsable de l'après-vente.

Une demie-heure plus tard, alors que la cliente s'agitait impatiemment dans son fauteuil, le responsable de l'après-vente lui dit : "Ah, c'est ça qui ne doit pas aller. Il vous faut l'Accessoire d'Inversion Anti-hypernormal".

"Ah" dit la cliente. "Bon, je vais le prendre."

Désolé. On ne peut le mettre que sur le Modèle de Luxe N° 1'', dit le responsable de l'après-vente, ''et je vois que vous, vous avez le Modèle 2 Simplifié.''

''Mais le vendeur m'a dit que votre compagnie pouvait s'occuper de tous mes besoins en normalateurs'' dit la cliente. ''Pourquoi ne pouvez-vous pas reprendre le mien et déduire le prix de la reprise de celui qu'il me faut ?''

''Je n'ai pas le droit de faire cela'', dit le responsable de l'après-vente.

''Bon, alors je veux qu'on me rembourse !'' dit la cliente.

''Je suis désolé, mais la politique de la compagnie est de ne jamais reprendre un normalateur après la période de garantie de 30 jours.''

''Que *pouvez-vous* faire alors ?'' demanda la cliente.

''*Pas grand-chose*'', pensa le responsable de l'après-vente.

Sapp ¡

Tous ces Sapps venaient de forces extérieures aux services où leur impact se faisait sentir. Joe Mode, Lucy Storm ou tout autre chef de service n'y pouvaient pas grand-chose.

Mais Joe et Lucy demandèrent tout de même l'aide de Ralph, qui effectua une étude de tous les facteurs extérieurs à un service et susceptibles de Zapper ou de Sapper.

Voici ce que Ralph découvrit :

D'abord, que le leader du groupe ou l'agent de maîtrise est le plus à même de Zapper ou de Sapper quelqu'un dans son travail.

Après le supérieur immédiat, ce sont les membres de *l'entourage* du travailleur qui ont la plus grande influence sur le Zapp.

Ces personnes comprennent les collègues, le personnel technique et le personnel d'entretien et d'appui.

Le facteur qui, ensuite, a le plus d'influence pour Zapper ou Sapper est l'organisation elle-même, avec ses structures, ses politiques, et ses systèmes -- salaires, avantages sociaux, boîtes à idées, etc.

Au même niveau que l'organisation, on trouve le syndicat (pour ceux qui *sont* syndiqués ou qui ont affaire à lui).

Malgré leurs influences variables, tous ces facteurs produisent un effet.

Le Bloc-Notes de Joe Mode

Qui détermine le degré de Zappage
(ou de Sappage) d'un salarié ?

Par ordre d'importance

1. Son supérieur immédiat
    (le leader de groupe)

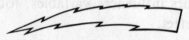

2. Ceux qui affectent son travail
    (fournisseur, services, encadrement)

3. Le management supérieur

4. L'organisation et ses systèmes

De très loin, l'influence Zappante la plus importante est le supérieur ou le cadre dont dépend
directement le salarié.

"Joe, nous devons reconnaître qu'il y a plein de facteurs qui affectent le Sapp et le Zapp que nous ne pouvons pas maîtriser", dit Lucy.

"En tout cas, ça va toujours mieux qu'avant", dit Joe Mode. "Ma vie est plus facile. Je ne suis pas près de me remettre à Sapper les gens. Tout le monde est plus heureux dans le service."

"C'est vrai, mais je ne peux pas me contenter de cela" dit Lucy. "Je pense que le moment est venu de parler à Marie-Hélène."

26

Bien qu'elle pût avoir l'esprit follet de temps en temps, Marie-Hélène Krabofski était loin d'être bête. En fait, elle était très intelligente. Elle se rendit vite compte qu'il lui fallait passer très peu de temps à résoudre les problèmes du Service N ou du Service Z.

Bien entendu, elle savait qu'il se passait des choses surprenantes dans ces services, comme la nouvelle activité que l'Equipe Diamant avait initiée, et elle voulait surtout savoir pourquoi le Service N de Joe Mode, dont la performance avait toujours été tout au plus médiocre, était maintenant si bon.

En fait, le bruit se répandait rapidement dans toute la Compagnie Normale. Plein de gens voulaient être transférés au Service N ou au Service Z, car ils avaient tous les deux acquis la réputation d'endroits où il était formidable de travailler. Certains-mêmes des autres agents de maîtrise commençaient à demander ce qui pouvait aller *si bien* au Service N et au Service Z.

C'est à peu près à ce moment-là que Joe Mode et Lucy Storm en vinrent à la même conclusion. Il était temps de tout dévoiler et de faire appel à l'extérieur. Ils avaient fait pour leurs propres services autant qu'on pouvait en faire en matière de Zapp. Pour aller plus loin, il leur fallait l'aide massive de l'organisation toute entière.

Joe et Lucy firent le tour des Equipes Zapp pour leur demander leur aide afin de mettre au point une grande présentation au management. Et les équipes se mirent au travail. Elles définirent une date de présentation à Marie-Hélène, qui était tout à fait prête à écouter ce qu'ils avaient à dire. A l'approche du grand jour, Joe et Lucy coachèrent les présentateurs des Equipes Zapp pour qu'ils sachent à quoi s'attendre, ce qu'on attendrait d'eux, et comment réussir une bonne présentation.

Le jour arriva. Joe Mode ouvrit la séance. Il commença par faire une description lumineuse du fantastique pouvoir de Zapp. Bien entendu, aucun superlatif ne fut trop fort pour cette description.

Puis il dit : "Marie-Hélène, nous avons branché votre fauteuil au Ralpholateur. Nous allons maintenant mettre le contact, et dans un instant vous serez transportée dans la 12ème Dimension ; vous aurez la possibilité de voir à l'œuvre les merveilles de Zapp de vos propres yeux."

Il se retourna alors vers le rideau situé derrière lui et il dit : "C'est bon, allez-y Ralph."

Il y eut un gémissement aigu. Suivi d'un gémissement grave. Et rien n'arriva.

"Excusez-moi. Il semble que nous ayons quelques difficultés techniques" dit Joe.

Le visage noirci de Ralph apparut derrière le rideau.

"Mauvaises nouvelles, Joe. Le Ralpholateur est grillé. Ses girolatons ont sauté."

Joe Mode se retourna et regarda Marie-Hélène Krabofski.

Il pouvait lire dans ses yeux affectés d'une sorte de strabisme :

Eclair, hein ? Vous avez dit éclair humain ? Oui, bien sûr. Des *roues* d'éclair, rien que ça. Bien entendu. Y avait-il un *camion* sur ces roues ? Vous n'auriez pas relevé son numéro, par hasard ?

Qui pourrait croire de telles absurdités ?!

Mais Joe prit une décision habile. Il leur fit continuer la présentation. Les Equipes Zapp vinrent une par une. Ils parlèrent des mesures. Ils montrèrent où ils en étaient avant, où ils en étaient maintenant, et ce à quoi ils voulaient parvenir. Ils parlèrent de qualité, de rendement, d'activités en expansion, de nouvelles activités, de prix de revient plus bas, de recettes plus élevées, de la satisfaction du client, toutes choses qui sonnent comme une musique magique aux oreilles d'un cadre supérieur.

Et la *façon* dont les Equipes Zapp parlaient était la preuve que les employés de Normale étaient capables de prendre la responsabilité quotidienne de leur travail à un degré que des gens comme Marie-Hélène n'auraient jamais cru possible.

Tant et si bien qu'ils n'eurent pas besoin du Ralpholateur ou de la 12ème Dimension pour convaincre Marie-Hélène Krabofski. A la fin de la présentation elle était positivement Zappée !

Elle voulait par-dessus tout que les autres services sous son autorité soient Zappés de la même manière.

"Il faut que tout le monde soit au courant !" dit Marie-Hélène. Elle était très excitée. "Je veux que chaque agent de maîtrise -- euh, comment vous faites-vous appeler ? Leaders de Groupe ? C'est cela, *leaders de groupe !* Je veux que chacun d'eux se mette à utiliser Zapp AUSSI VITE QUE POSSIBLE !!"

Personne n'est plus dévoué à une cause qu'un sceptique devenu convaincu.

Elle programma d'abord une grande réunion de tous les agents de maîtrise, en essayant de les convaincre que Zapp était la manière de faire que tout le monde devait adopter.

Cela ne marcha pas.

Les agents de maîtrise acquiescèrent de la tête, furent d'accord pour admettre que Zapp tenait la route, et continuèrent à leur retour à rester les agents de maîtrise qu'ils avaient toujours été.

Mais cela apprit quelque chose d'important à Marie-Hélène.

Pour créer le Zapp, elle devait utiliser le Zapp.

Les autres services devaient découvrir le Zapp par eux-mêmes. Avec son aide Zappante, bien sûr.

Elle commença par les trois premières étapes qui mènent au Zapp.

1. Maintenir l'Estime de soi.

2. Ecouter et répondre avec empathie.

3. Demander de l'aide pour trouver des solutions au problème.

Elle commença à les mettre en pratique dans tous ses rapports avec les gens, car les étapes s'appliquaient à elle comme à Joe Mode, Lucy Storm ou quiconque qui joue un rôle de leader.

Puis elle appliqua l'essence de Zapp :

Offrir son aide sans prendre la responsabilité.

Mais en tant que cadre supérieur, elle devait jouer un autre rôle tout-à-fait essentiel : permettre l'éclosion du type d'environnement dans lequel Zapp pouvait se développer et prospérer.

Elle encouragea par exemple tous ses cadres et ses agents de maîtrise à suivre une formation en règle sur le Zapp et elle libéra les ressources nécessaires pour cela.

Ensuite, pour tous les services, exactement comme Joe Mode l'avait fait pour le Service N, Marie-Hélène demanda aux agents de maîtrise d'établir des directives de performance, avec des domaines-clé de Résultat, des mesures et des objectifs.

Mais l'une des fonctions les plus importantes que Marie-Hélène, en tant que cadre supérieur, devait remplir, consistait à protéger les gens des choses Sappantes qui pourraient leur tomber dessus par la faute de la compagnie, et à encourager les choses Zappantes que la compagnie pouvait leur offrir.

Le Bloc-Notes de Joe Mode

Pour diffuser le Zapp, voici ce que doit faire le management :

1. Protéger les gens des choses Sappantes qui pourraient leur tomber dessus par la faute de la Compagnie, tout en appuyant et en encourageant les choses Zappantes que la Compagnie peut offrir.

2. S'assurer que les cadres moyens ont les compétences requises pour Zapper (et, sinon, leur faire suivre une formation).

3. Conseiller les cadres moyens pour qu'ils sachent utiliser et améliorer leurs compétences en Zapp.

4. Récompenser la performance résultant du Zapp.

Globalement : créer un environnement où le Zapp puisse se produire.

Pour être tout à fait franc, Marie-Hélène mit long-temps avant de se séparer des clés du camion de pompier des cadres. Mais au fur et à mesure qu'elle appliquait le Zapp, elle se transformait.

Lorsque Joe Mode faisait ses promenades occasion-nelles dans la 12ème Dimension, il reconnaissait à peine Marie-Hélène Krabofski. Sa couleur n'était plus d'un vert affreux. Ses écailles fondaient. Sa queue devint plus courte et disparut. Bientôt, elle ne fut plus un lutin. Zapp l'avait transformée en un être humain, qui est la vraie forme de tous les bons dirigeants.

27

Tom Tampon était aussi nerveux qu'un gardien de buts au moment d'un penalty.

En tant que cadre moyen, Tom savait que la sécurité de son emploi n'était désormais plus assurée. La Compagnie Normale, comme beaucoup d'autres, cherchait depuis longtemps à réduire le nombre de cadres moyens simplement pour diminuer ses frais. Et cela aussi se révélait une source de Zapp pour l'organisation.

A maintes reprises, de nouvelles strates de Cadres avaient produit des couches et des couches de Sapp. Lorsqu'on se défaisait de strates de cadres, il y avait une grande augmentation de Zapp. Sans Tom Tampon et ses semblables, le Zapp dont avaient toujours joui les cadres supérieurs pouvait atteindre un plus grand nombre de ceux qui étaient sous leur autorité.

Lorsque Marie-Hélène Krabofski fit venir Tom dans son bureau un vendredi, il crut sentir la lame de la guillotine sur son cou.

Mais Marie-Hélène avait en tête quelque chose de beaucoup plus habile.

"Tom, vous êtes un cadre intelligent et capable. C'est la nature de ce que vous faites qui est en cause, pas votre performance professionnelle", dit Marie-Hélène, en essayant de maintenir l'estime de soi de Tom.

"Eh bien, je peux toujours essayer de travailler plus dur à être beaucoup plus efficace, si vous m'en donnez la possibilité", dit Tom.

"Je sens que vous êtes inquiet pour votre emploi, et je voudrais vous mettre à l'aise" dit-elle, répondant avec empathie après avoir écouté ce que Tom avait (et n'avait pas) dit.

Elle lui demanda ensuite son aide pour résoudre un problème, en disant : "En fait, j'aimerais votre aide pour une entreprise importante. Avec la progression du Zapp, et les accroissements de productivité, nous allons avoir de nombreuses personnes dont les talents seront de moins en moins employés. J'aimerais que vous m'aidiez à leur trouver de nouveaux défis. J'aimerais que vous constituyez une Equipe Zapp pour développer de nouvelles activités qui nous permettraient d'y placer les gens sous-employés, et qui soient à même d'engendrer plus de revenus pour la compagnie".

Tom Tampon se redressa tout droit dans son fauteuil. Il ressentait la peur du nouveau défi et l'excitation de travailler à le relever.

Marie-Hélène donna ensuite à Tom quelques directives générales sur les types d'activités auxquels il pourrait réfléchir afin que plus tard il ne se Sappe pas tout seul devant l'immense étendue des possibilités envisageables.

Puis elle dit : ''j'aimerais que nous nous revoyions lorsque vous aurez eu le temps de trouver quelques idées'', et elle lui offrit son aide sans prendre la responsabilité. ''Venez me voir aussi souvent que vous le jugerez nécessaire concernant les ressources qu'il vous faudra pour que ceci soit fait''.

Zapp !

Tom Tampon saisit l'éclair que Marie-Hélène Krabofski lui avait lancé et partit avec lui à toutes jambes.

En moins d'une semaine, il mit sur pied une Equipe Zapp composée d'autres cadres moyens et de membres du personnel. Ils se mirent à travailler sur les moyens de développer la Compagnie Normale à *l'extérieur*, vers de nouveaux horizons (plutôt que vers le *haut* car cela la déséquilibrait).

Et au lieu d'être une source de charges pour la compagnie, ils générèrent des recettes. Au lieu de surveiller les gens et de fabriquer des règles pour tenter de contrôler tout le monde, ils inventaient de nouvelles activités bien à eux et qu'ils géraient.

Ceci rendit les cadres (et tous les autres) beaucoup plus heureux, et rendit la Compagnie Normale beaucoup plus rentable.

Le Bloc-Notes de Joe Mode

- Alourdir l'Organisation Sappe ¡
- Alléger l'Organisation Zappe !

L'Equipe Diamant récoltait des affaires à la pelle pour Normale. Leur charge de travail s'était tellement développée qu'ils n'arrivaient plus à tout faire. Il leur fallait tout bonnement plus de monde.

Ainsi que la politique de Normale l'obligeait à le faire, Lucy Storm alla voir le Service du Personnel, munie des autorisations en règle, et le Service du Personnel mit sa demande dans le panier "reçu".

Quelque temps plus tard, Floyd se pointa.

"On m'envoie ici. Je pense que je dois travailler là, ou quelque chose comme ça", dit Floyd.

Lucy le présenta à l'Equipe Diamant. Et l'équipe se désintéressa de Floyd sur le champ.

Non pas que quelque chose *clochât* chez Floyd. Il n'était pas recherché par la police et il possédait toutes les qualifications techniques requises pour la fonction. Mais cela n'excitait personne d'avoir Floyd.

Pourquoi en eut-il été autrement ? Aucun membre de l'Equipe Diamant n'avait été impliqué dans le choix de Floyd. Aucun d'eux n'avait personnellement quoi que ce soit à perdre si Floyd ne convenait pas.

Même Lucy Storm n'était pas partie prenante à la réussite de Floyd. Personne ne lui avait demandé son avis avant d'envoyer Floyd travailler au Service Z.

Et Floyd n'était pas très excité par le Service Z. Et l'Equipe Diamant ? La belle affaire. Ce n'étaient pas eux qui l'avaient engagé. Le *Service du Personnel* l'avait engagé. Floyd nourrissait en secret beaucoup d'affection pour le Service du Personnel.

Pendant bien longtemps Floyd fut Sappé.

Lucy le savait bien, et lorsque l'Equipe Diamant eut à nouveau besoin d'un employé supplémentaire, elle demanda à Marie-Hélène de parler au Service du Personnel afin qu'ils changent leurs méthodes pour les rendre plus Zappantes.

Marie-Hélène exposa donc le problème au Service du Personnel et demanda l'aide de ce service pour travailler avec Lucy et les autres leaders de groupe à le résoudre.

Lorsque le Service Z eut encore besoin d'un nouvel employé, les résultats furent très différents.

L'Equipe Zapp sélectionna effectivement elle-même la personne avec laquelle l'équipe voulait travailler.

Le Service du Personnel joua surtout un rôle de guide et de conseil au cours du processus pour que l'équipe puisse faire le bon choix. Son rôle fut aussi de s'assurer que le côté légal était bien respecté ainsi que les niveaux de salaire.

Mais c'est l'équipe qui l'engagea effectivement.

Ce fut un grand Zapp pour tous.

Ce fut un Zapp pour les membres du Service du Personnel parce qu'ils devaient relever un nouveau défi professionnel et parce qu'ils savaient que les groupes qu'ils pourvoyaient recrutaient les gens qu'ils voulaient vraiment.

Ce fut un Zapp pour l'équipe parce que les gens avaient maintenant leur mot à dire dans le choix de ceux qui travaillaient avec eux, de même que la responsabilité de faire tout leur possible pour s'assurer que la personne qu'ils avaient choisie réussirait. Pour les mêmes raisons, ce fut un Zapp pour Lucy Storm.

Et ce fut un Zapp pour le nouvel employé, parce qu'il avait été choisi par l'équipe et non pas imposé à celle-ci.

En fait, le nouvel employé n'en travailla que plus, afin de ne pas décevoir Lucy ou l'équipe.

En bas aussi, au Service C, les choses se mirent à changer.

Les membres du Service C reçurent la formation dont ils avaient besoin pour mieux connaître à la fois les produits de Normale et la façon de s'y prendre avec les clients de Normale. Puis le Service changea sa politique afin de donner aux responsables du service après-vente plus de marge de manœuvre et d'initiative pour satisfaire le client. Et vous ne le croirez jamais, les responsables de l'après-vente du Service C se mirent à se réjouir d'avance d'avoir à s'occuper des clients mécontents, juste pour relever le défi d'en faire des clients satisfaits.

Un après-midi, un client entra en hurlant : "Je veux parler au patron ! Ce normalateur stupide fait un bruit d'ongles sur un tableau noir... !"

"Et il vibre trop et il sent mauvais ?" demanda le responsable de l'après-vente.

"Exactement", cria le client, "Ça me rend fou !"

"Je sais exactement ce que vous ressentez. C'est très irritant lorsque cela se produit", dit le responsable avec compassion. "Il vous faut l'Accessoire d'Inversion Antihypernormal. Tous nos nouveaux modèles l'ont, mais vous avez sans doute un ancien modèle."

"Qu'est-ce que j'en sais ? J'ai ce que le vendeur m'a vendu !" dit le client.

"Voilà ce que je vais faire", dit le responsable. "Donnez-moi votre ancien modèle et je vous en donnerai gratuitement un nouveau."

"Oh", dit le client. "Bon, je pense que ça pourrait aller."

"Donnez-moi votre adresse et je vous le ferai livrer", dit le responsable.

"Mais j'aimerais bien mieux l'emporter", dit le client.

"Pas de problème. Allez chercher votre voiture, je vais prélever un nouveau modèle sur notre stock et je vous l'apporte au bord du trottoir."

"Ah, très bien. Merci !"

Et le client sourit pour de vrai.

Zapp !

Ralph Rosco avait entendu dire par le téléphone arabe que Tom Tampon et son équipe recherchaient des idées qui pourraient devenir le point de départ d'activités nouvelles pour Normale.

Et Ralph pensa : *"Hé, hé, je me demande si mon Ralpholateur pourrait les intéresser comme nouvelle activité ?"*

Il alla donc voir Joe Mode et lui rappela qu'il lui avait promis depuis longtemps de l'aider à développer son invention. Joe Mode tint sa promesse, il l'aida réellement, et prépara le terrain pour que Ralph parle à Tom.

Mais Tom avait encore l'esprit plutôt bureaucratique et il dit à Ralph de soumettre son idée par le canal du Système de Suggestions de Normale.

Ralph retourna à son poste de travail, épousseta son manuel du parfait employé de Normale, et lut la page qui expliquait les Procédures du Système de Suggestions de Normale.

D'abord, selon le manuel, Ralph devait inscrire son idée sur un formulaire 1212-S et le déposer dans la boîte située près de la cafétéria de Normale.

Ensuite, Ralph ne devait plus rien faire. Il devait attendre le verdict.

Dans quelques mois, les autorités compétentes rendraient leur décision. S'*ils* pensaient que l'idée le méritait, on enverrait un chèque à Ralph pour le montant qu'*ils* estimaient que cette idée valait.

Ralph savait par expérience que c'était un système très Sappeur. Après avoir soumis son idée, Ralph ne serait bientôt plus impliqué. La compagnie deviendrait propriétaire de l'idée.

Toute idée n'est qu'un pur fantasme tant qu'on ne l'a pas rendue opérationnelle. C'est seulement alors qu'elle vaut vraiment quelque chose. Et comme la compagnie achetait une idée et non pas quelque chose dont la valeur avait été démontrée, il était difficile de déterminer sa valeur réelle.

Comme Ralph était exclu du processus d'évaluation, il aurait tendance à suspecter que quel que soit le prix qu'on lui paierait, l'idée en réalité valait plus que ce qu'on lui donnait.

Ralph expliqua donc cela à Joe Mode et dit : "Il doit y avoir mieux à faire."

Ils allèrent ensemble voir Marie-Hélène en lui suggérant qu'on instaure un Système de Suggestion plus Zappant.

D'abord, il fallut que Joe obtienne de Ralph qu'il prît la responsabilité des conséquences (bonnes ou mauvaises) de ce qu'il suggérait. Il dut pousser Ralph à examiner sa propre idée d'un point de vue pratique.

"Votre Ralpholateur est un bel engin, mais comment la compagnie va-t-elle gagner de l'argent avec ?" demanda Joe Mode.

Eh bien, Ralph n'y avait pas pensé. "Bon Sang, je ne sais pas. Mais il doit y avoir des *tonnes* d'applications."

"Citez-m'en deux", dit Joe Mode.

Ralph en fut incapable.

"Travaillez donc un peu plus cette question et nous en reparlerons", dit Joe Mode.

Ralph réfléchit donc un peu plus.

Son raisonnement fut le suivant : un marché de choix pour le Ralpholateur pourrait être le secteur psychiatrique. Les psychiatres, qui jusqu'alors ne pouvaient que parler avec leurs patients des hallucinations de ceux-ci, pourraient désormais aller voir par eux-même dans la 12ème Dimension.

Avec sa capacité à rendre les gens invisibles, le Ralpholateur intéresserait à coup sûr le Ministère de la Défense. Et puis il y avait le tourisme et l'industrie des loisirs. Les voyageurs blasés qui étaient allés partout, de Tokyo à la Terre de Feu, pourraient désormais aller dans la 12ème Dimension. Quel parc d'attractions pourrait se passer d'un Ralpholateur ?

"Voilà qui est bien", dit Joe Mode lorsque Ralph, au cours de leur prochaine rencontre, lui montra quelles étaient les potentialités. "Je vais faire le nécessaire pour que vous puissiez en parler aux gens du Service Marketing, et vous pourrez travailler avec eux pour mettre en place un plan de "lancement".

Et c'est ce qu'ils firent.

Ensuite, Joe aida Ralph à repérer quelques sources de problèmes ennuyeux dans la conception de l'appareil, et puis il lui trouva l'aide des physiciens du Service Recherche et Développement de Normale.

Puis Ralph alla voir le responsable de la fabrication et travailla sur des devis de prix de revient de fabrication.

Enfin Joe Mode fournit à Ralph une formation de base pour qu'il sache comment faire une présentation commerciale.

Ensuite *Ralph* alla présenter son idée à Tom Tampon et l'Equipe Zapp chargée des activités nouvelles. Et Ralph put leur montrer beaucoup plus qu'une belle machine. Il avait un plan commercial complet avec des chiffres crédibles et éprouvés, une stratégie de marketing, et tout ce dont il avait besoin pour convaincre le management de la vraie valeur du Ralpholateur.

Tom Tampon et l'Equipe Zapp furent si impressionnés qu'ils demandèrent à Ralph de faire la même présentation à M. Topp et au Comité de Direction de Normale.

Et c'est ainsi que le Ralpholateur prit le chemin du succès. Et ce fut le même système de suggestion que Joe Mode (et éventuellement le reste de la compagnie) utilisa pour développer toutes sortes d'améliorations, allant d'activités nouvelles à de meilleurs girostators.

28

Les années passèrent.

Un matin, Joe Mode travaillait dans son bureau lorsque Phyllis frappa à sa porte et lui dit : "Excusez-moi, Joe, mais il y a un jeune homme dehors qui voudrait vous poser des questions sur la façon dont vous dirigez le service."

Joe lui dit de le lui envoyer.

"Quel est votre nom ?" demanda Joe au jeune homme qui s'asseyait.

"Appelez-moi Dave", dit le jeune homme.

"Eh bien, Dave, que puis-je faire pour vous ?"

"Je viens d'entrer à la Compagnie Normale, et j'ai entendu dire que votre service fut l'un des premiers à commencer à utiliser quelque chose qu'on appelle Zapp", dit-il.

"C'est exact", dit Joe.

"Et j'ai entendu dire que Zapp est l'énergie qui permet l'amélioration continuelle".

"C'est encore exact" dit Joe.

"Eh bien, comment cela fonctionne-t-il ?" demanda Dave.

Depuis le temps, Joe Mode avait tout-à-fait pris l'habitude des questions des gens curieux. Il fit donc faire un grand tour à Dave, en lui montrant le Service N et en lui présentant certaines Equipes Zapp, dont les membres se firent un plaisir de lui expliquer ce qu'ils faisaient et comment ils travaillaient ensemble. A la fin du tour, Joe emmena Dave dans la 12ème Dimension pour qu'il puisse voir le Zapp dans toute sa vraie splendeur.

Enfin, pour que Dave puisse tout saisir, Joe le conduisit à quelque chose de nouveau dans l'architecture d'entreprise de la 12ème Dimension. C'était une tour d'observation très grande et ronde, qui offrait une vue magnifique sur la Compagnie Normale et le vaste panorama des affaires des alentours.

D'horizon en horizon, à travers les trouées dans les brumes et le brouillard, ils pouvaient voir toutes sortes de châteaux d'entreprises éparpillés dans le paysage.

Là-bas, sur une élévation rocheuse, se trouvait un grand château, typique, qui ressemblait beaucoup au château Normale des années anciennes, avec des sentinelles à leur poste et plein de gens qui entraient et sortaient par ses grilles.

Et là-bas, il y avait un château abandonné, tout croulant et sombre qui s'enfonçait dans un marécage.

Au loin sur l'horizon se détachait Prodigieux S.A., un château énorme, haut et d'une complexité impossible avec des tours atteignant les nuages, atteignant et *dépassant* en fait les nuages. Ses cadres supérieurs ne pouvaient sans doute même pas voir le sol de là-haut. Avec ses kilomètres de murs et de douves en forme de labyrinthe, on avait l'impression que rien ne pourrait jamais faire chanceler Prodigieux, qu'il serait là pour l'éternité.

Et cependant, planant parmi les plus hautes tours il y avait des dragons *volants*. Et devant leurs propres yeux, l'un des dragons, s'agrippant au flanc d'une des plus grandes tours, se mit à dévorer les murs à belles dents -- chomp, chomp, chomp -- jusqu'à ce que la tour s'écroule comme un arbre qu'on a scié et qu'elle s'écrase au sol dans un énorme fracas.

En vérité, en dépit de sa taille et de sa complexité impressionnante, le château Prodigieux semblait désespérément désuet à côté de la forme de leur château Normale à eux. La plus grande partie de Normale ne ressemblait désormais même plus à un château. On aurait plutôt dit une base de lancement, où des gens, chaque matin, décollaient dans une flotte d'engins étonnants et à longue portée, conçus avec l'aide de ceux qui les pilotaient, et dont chaque lancement était propulsé par l'énergie de Zapp.

Et alors que Joe et Dave regardaient autour d'eux, ils purent les voir, là-bas, dans le bleu du ciel, en vol de mission pour accomplir leur tâche.

En réalité, bien entendu, tout le monde se trouvait ici-bas sur la Planète Terre dans cette bonne vieille Normale-ville, aux Etats-Unis. Mais pour chaque employé de Normale, c'était ce qu'aller au travail lui faisait désormais ressentir. Leurs emplois ordinaires n'avaient vraiment plus rien d'ordinaire.

"On dirait que nous sommes loin devant beaucoup d'autres compagnies'', dit Dave.

"Oui, nous le sommes. Et nous prenons le large'', dit Joe.

''Mais n'avons-nous jamais de problèmes de dragons ici ?'', demanda Dave.

''Si, bien sûr, nous en avons encore quelques-uns, et de temps en temps, il en éclôt un nouveau'', admit Joe. ''Les dragons sont résistants et certains pratiquement immortels. Mais les Equipes Zapp continuent à améliorer notre qualité et notre performance. Nos dragons deviennent de plus en plus petits, parce qu'ils trouvent de moins en moins de quoi se nourrir, puisque nous devenons sans cesse meilleurs.''

Joe souligna bien à Dave qu'il ne fallait pas croire que la transformation de Normale était terminée ou le serait jamais. Car Zapp n'était pas fixé ou absolu, mais c'était une force destinée à un voyage continuel.

On pouvait voir sur les côtés de nombreuses parties de l'ancien château en cours de remodelage, pour être recyclées en *Appareils-Zapp* capables de voler. Même les appareils qui volaient actuellement pourraient avec le temps prendre des formes nouvelles. Et sur la colline voisine se trouvait la piste d'atterrissage d'une flotte toute nouvelle de la 12ème Dimension -- la Division Ultranormale, qui se développait en nouvelles activités pour remplacer celles qui devenaient obsolètes.

Cette nouvelle flotte, soit dit en passant, était commandée par Tom Tampon en personne, et gérée et manœuvrée par nombre de ceux qui, sinon, se seraient trouvés éliminés par le dégraissage de la Compagnie Normale. Ils étaient désormais dans les airs et Zappés pour une mission bien à eux. Et Ralph volait avec eux.

Le Ralpholateur était devenu un produit vedette et il se vendait très fort. Ralph était devenu trop important pour son emploi au Service N et il dirigeait l'équipe qui avait la charge de son produit. Grâce à la participation aux bénéfices, Ralph gagnait une part équitable de l'argent que rapportait son idée originale, mais il avait aussi la satisfaction de la mettre en œuvre, et il était désormais très attaché à la compagnie.

Tout cela avait demandé beaucoup de temps, expliqua Joe. Cela n'avait pas été facile mais cela en valait la peine, sans le moindre doute.

Alors qu'ils repartaient, Dave demanda : "Ainsi Zapp est quelque chose dont je pourrai me servir dans mon propre emploi ? Que dois-je faire en premier ?"

Joe était préparé pour ces questions car depuis ces années où lui et Ralph avaient appris par Lucy Storm ce qu'était le Zapp, plein de gens lui avaient demandé comment ils pourraient engendrer eux-mêmes l'éclair humain.

"Permettez-moi de vous recommander mon Plan d'Action en Trois Etapes pour les Novices du Zapp", dit Joe Mode.

"Je n'aurai pas besoin pour cela d'un Ralpholateur, n'est-ce pas ?", demanda Dave. "Je veux dire, ils sont encore très chers."

"Non, non, vous n'en aurez pas besoin", dit Joe. "Retournons à mon bureau et je vous mettrai en selle."

La première chose que fit Joe lorsqu'ils furent revenus fut de donner à Dave un exemplaire du Bloc-Notes de Joe Mode afin qu'il puisse étudier les principes de base de Zapp.

"Tenez, lisez-le. C'est la Première Etape. Il m'arrive même de relire moi-même le Bloc-Notes de temps en temps pour me rafraîchir la mémoire", dit Joe.

"D'accord, mais est-ce que lire c'est suffisant ?" demanda Dave.

"Probablement pas" dit Joe. "C'est pourquoi je vous suggère d'essayer la Deuxième Étape. Venez avec moi."

Et il emmena Dave dans la pièce centrale pour le présenter à la section spéciale Zapp du service formation de Normale.

"Dave, voici Lucy Storm", dit Joe Mode. "C'est elle qui dirige maintenant cette section."

"Je suis heureux de vous rencontrer, Dave", dit Lucy. "Etes-vous venu pour recevoir une formation Zapp ?"

"Ça alors, je ne sais pas. Est-ce qu'il le faut ?" demanda Dave.

"Eh bien, vous pouvez acquérir par tâtonnements les compétences nécessaires, pour améliorer le Zapp, comme je l'ai fait", dit Joe. "Mais cela prend beaucoup de temps et vous risquez de faire un tas d'erreurs inutiles. Je vous recommande d'acquérir vos compétences grâce à l'un des programmes de formation de Lucy et vous aurez ainsi plus de chances de réussir lorsque vous essayerez Zapp pour la première fois."

Dave réfléchit à cela. "Oui, cela semble plus efficace."

"Et ça se passera beaucoup mieux en ce qui concerne l'angoisse", ajouta Joe.

Et Dave s'inscrivit dans le programme introductif de Lucy.

Ensuite, alors qu'ils s'en allaient tous les deux, Dave demanda : "Et quelle est la Troisième Etape ?"

"Ne vous arrêtez pas", dit Joe.

"Qu'entendez-vous par là ?"

"Je veux dire qu'une fois sur la bonne voie, essayez sans cesse, apprenez sans cesse, améliorez-vous sans cesse, croissez sans cesse'', dit Joe Mode. ''Ou, en bref, ne vous arrêtez pas.''

''Bien, d'accord. Je vais faire de mon mieux'' dit Dave.

''Bon, et si je peux vous être utile en quoi que ce soit, contactez-moi'' dit Joe.

''Merci'' dit Dave en lui serrant la main.

Et alors que Dave s'en allait, Joe Mode put presque voir le Zapp commencer à grandir à l'intérieur d'une nouvelle personne.

**Le Plan d'Action en Trois
Etapes de Joe Mode pour les
Novices du Zapp**

1. Lisez (et relisez) le Bloc-Notes

2. Suivez une formation au Zapp !

3. Ne vous arrêtez pas Apprenez sans cesse !

Livres et Monographies
de William C. Byham

Understanding job analysis -- with P. Hauenstein.

Applying a systems approach to personnel activities.

Three thrusts toward cultural change (Practical suggestions for turning vision into reality).

The assessment center method and methodology : New applications and technolgies.

Assessment centers and managerial performance -- with G.C. Thornton III.

Dimensions of managerial competence : What they are, how they differ between levels, how they are changing (rev. ed.).

Targeted Feedback : Making subjective data objective.

Review of legal cases and opinions dealing with assessment centers and content validity (rev. ed.).

Applying the assessment center method -- with J.L. Moses, eds.

Changing employee behavior -- with D. Bobin, eds.

Four-day work week -- with J.A. Wilson, eds.

Confrontation with change : Women in the work force -- with M. Katzell, eds.

Alternatives to paper-and-pencil testing -- with D. Bobin, eds.

Women : Action not reaction -- with D. Slevin, eds.

The law and personnel testing -- with M.E. Spitzer

The uses of personnel research

Remerciements

Jeff Cox, qui m'a aidé à écrire ce livre, a conçu la plupart des présentations imaginatives des concepts et de l'information. Sa créativité, son travail acharné d'écriture et de rédaction ont rendu ce livre possible.

De nombreuses personnes de Development Dimensions International ont contribué de façon substantielle à ce livre en fournissant le contenu, des idées et des critiques de différents brouillons manuscrits.

Les personnes qui méritent une reconnaissance particulière sont, dans l'ordre alphabétique : Ric Anthony, Linn Coffman, David Cohen, Michel Couture, Richard Davis, Anthony Del Prete, Debra Dinnocenzo, John Domenick, Susan Gladis, Kathleen Guinn, John Hayden, Tim Kostilnik, Leslie Miller, Abel Mir, Gary Moelk, Tim Mooney, Mike Moore, Dennis Ragan, Cathy Rezak, Bob Rogers, Mary Jo Sonntag, Cheryl Soukup, Debra Walker, Rich Wellins, Laura White, Stacy Rae Zappi.

Achevé d'imprimer le 16 juillet 1990
sur les presses de l'Imprimerie «La Source d'Or»
63200 Marsat
Dépôt légal 3e trimestre 1990
Imprimeur N° 3635